# A Great Place to Work For All

# A Great Place to Work For All

**Michael C. Bush, CEO**
e time de pesquisa do Great Place to Work

PRIMAVERA
EDITORIAL

Para todos que fazem essa coisa chamada **"trabalho"** – e para os que não começaram ainda.

# Sumário

**Prefácio**
Um olhar diferente sobre a motivação ............................. 9

**Prefácio Edição Brasileira**
Em busca de uma sociedade melhor For All .................... 15

**Introdução**
Great Place to Work For All............................................ 21

## PARTE 1: MELHOR PARA OS NEGÓCIOS
**Capítulo 1:**
Faturamento maior, lucro maior ..................................... 43
**Capítulo 2:**
Uma nova fronteira para os negócios ............................. 59
**Capítulo 3:**
Como ter sucesso na nova fronteira de negócios ............. 81
**Capítulo 4:**
Maximizar o potencial humano acelera o desempenho ... 107

## PARTE 2: MELHOR PARA AS PESSOAS, MELHOR PARA O MUNDO

**Capítulo 5:**
**Quando a empresa funciona para todos** ......................... 149
**Capítulo 6:**
**Negócios melhores para um mundo melhor** ................... 179

## PARTE 3: RUMO A UMA LIDERANÇA FOR ALL

**Capítulo 7:**
**Liderança para um Great Place to Work For All** ............. 211
**Capítulo 8:**
**Foguete For All** ........................................................ 243

**Notas** ................................................................... 249

**Agradecimentos** ..................................................... 271

**Sobre nós** .............................................................. 275

**Autores** ................................................................. 281

**PREFÁCIO**

# Um olhar diferente sobre a motivação

por Dan Ariely

Não há dúvida de que quase toda empresa gasta mais com a remuneração dos funcionários do que com qualquer outra coisa. A *maioria* delas desembolsa a maior parte de sua renda em salários e bônus. Mas será que essa grande quantidade de dinheiro é dispendida da maneira ideal, ou as companhias poderiam gastá-la de outras formas?

Há algum tempo, eu tive uma longa conversa com um executivo de um banco – muito (muito!) grande – de capital aberto. Como muitas instituições financeiras, o banco dele dava bônus estratosféricos para alguns dos seus funcionários ao final do ano, às vezes na casa dos milhões de dólares. O executivo me explicou o sistema de equações complexo e minucioso que era usado para calcular esses altos pagamentos, que levava em conta fatores como a contribuição individual, a contribuição coletiva, a função do banco como um todo e a função do indivíduo no grupo. Ele perguntou a minha opinião sobre cada um desses parâmetros e cada uma das equações, e nós conversamos detalhadamente sobre isso por duas horas.

Ao final das duas horas, eu pedi para ele me contar como esses bônus eram pagos aos funcionários. "Vocês lhes entregam um cheque em um envelope?", perguntei. "Ou o dinheiro é depositado na conta? Há algum tipo de cerimônia? Uma conversa? O chefe lhes pergunta como pretendem usar o dinheiro? Ele convida o funcionário para comemorar com um vinho ou uma cerveja? Rola um aperto de mãos? Um abraço?"

"É claro que não", o meu interlocutor respondeu secamente. "Nós somos o banco XYZ."[1]

"Então vocês dão aos funcionários todo esse dinheiro para motivá-los, mas não tomam nenhuma atitude não monetária?", questionei. "O que você acha que aconteceria se o chefe deles os levasse para beber uma cerveja? Ou se lhes desse algum conselho sobre como poderiam usar o dinheiro de forma mais inteligente? Será que eles ficariam mais motivados?"

"Interessante", ele disse.

"Talvez nós pudéssemos até mesmo quantificar o valor motivacional de uma cerveja", continuei. "Por exemplo, o que asseguraria mais ânimo e lealdade no longo prazo: um milhão de dólares em um envelope e um aperto de mão, ou 950 mil dólares com uma cerveja para comemorar? Um milhão de dólares, ou 900 mil com uma cerveja e um abraço? O que quero dizer é que, embora o seu banco fique feliz em elaborar equações para calcular recompensas e, de fato, pagar quantias exorbitantes de dinheiro, vocês talvez não estejam explorando a essência da motivação humana. Não estão investindo no capital humano e não estão aprendendo sobre como fazer os funcionários se importarem mais com o que fazem."

De maneira ilustrativa, eu descrevi para ele um experimento que os meus colegas e eu tínhamos feito na fábrica de chips da Intel. Nós examinamos um bônus na forma de dinheiro, outro na forma de vales-pizza e um terceiro na forma de um elogio por parte do chefe. Os resultados mostraram que o elogio era a maneira mais motivadora de gratificação. Mais do que isso, embora tivesse um impacto positivo de curto prazo no desempenho do funcionário, o bônus financeiro tinha, na verdade, um impacto negativo no seu desempenho no logo prazo; de modo geral, o seu impacto no longo prazo era mais negativo do que positivo. "A questão principal", eu disse a ele, "é que o trabalho envolve muito mais coisa do que a troca de um serviço por dinheiro."

Assim como no caso desse banco, muitas empresas não conseguem entender o assunto complexo e intrincado da motivação e de como fortalecê-la. É por isso que elas se veem como fabricantes de produtos, como celulares e medicamentos, como prestadoras de serviços ou operadoras de TV e bancos. Não prestam atenção suficiente aos aspectos do negócio que não aparecem no balancete e não dizem respeito à Wall Street. Não se dão conta de que as empresas e os seus futuros são, sobretudo, a soma de seu capital humano.

Cuidar dos funcionários, fazendo com que se sintam respeitados e valorizados, e tratá-los de maneira justa, dando-lhes oportunidades de crescimento e levando-os para celebrar com uma cervejinha de vez em quando, não pesa no orçamento, mas pode valer muito, especialmente no longo prazo. As pesquisas valiosíssimas apresentadas neste livro, realizadas com milhões de funcionários, mostram claramente que, quando têm orgulho de seu trabalho, confiam em seus líderes e possuem uma boa relação com os seus colegas, os funcionários respondem à empresa com comprometimento e engajamento, e estes, sim, refletem na receita. Além disso, quando as instituições constroem uma cultura consistentemente boa – o que este livro chama de uma cultura For All – a melhora fica ainda mais perceptível.

"Um Great Place to Work", escreve Michael Bush, "é aquele em que os funcionários confiam nas pessoas com as quais eles trabalham, e gostam de trabalhar com elas." Não se trata de sentimentalismo: a quantidade excelente de dados que o Great Place to Work colheu ao longo do tempo (e que eu usei também nos meus estudos sobre motivação no trabalho) demonstra isso. Alguns achados foram surpreendentes. Por exemplo, as pessoas se preocupam menos com desigualdade financeira e mais com processos justos e igualdade de outros tipos, como de gênero, cor e etnia. Então, não há problema em ver um colega ganhando um bônus maior, desde que a metodologia usada para defini-lo seja entendida como justa e igualitária.

Não há dúvida de que o motor do crescimento de qualquer empresa é a engenhosidade dos seus funcionários, ao passo que o motor da estagnação é a sua apatia. Este livro acende uma luz sobre a importância do investimento em capital humano, que vai além de salários e benefícios. Nos locais de trabalho de hoje, nos quais a vida pessoal também está presente, as empresas esperam que as pessoas pensem em seus compromissos profissionais praticamente vinte quatro horas por dia. Os funcionários só assumirão essa postura voluntariamente quando acreditarem que os seus patrões se importam com eles, que os tratam de forma justa e que o trabalho que desenvolvem é significativo. Investindo mais em capital humano, as empresas podem apresentar resultados melhores para os seus investidores. Aliás, para os investidores, para os funcionários e para o mundo.

**Dan Ariely** é professor de Psicologia e de Economia Comportamental na Duke University e autor de vários livros, entre os quais *Previsivelmente Irracional*, *Positivamente Irracional*, *A mais pura verdade sobre a desonestidade* e *Dollars and Sense*.

**PREFÁCIO EDIÇÃO BRASILEIRA**

# Em busca de uma sociedade melhor For All

O desafio ético imposto à nossa sociedade impulsiona as empresas a adotarem políticas e práticas cujos valores transpõem os muros das organizações

por Ruy Shiozawa, CEO do Great Place to Work Brasil

A maioria dos brasileiros que nasceu e cresceu no século 20 sempre ouviu a máxima de que o Brasil seria o "País do futuro". A dois anos de fecharmos a segunda década do século 21, ninguém mais tem dúvidas de que realmente chegou nosso momento. Apesar da instabilidade política, que respinga no cenário econômico, não se pode ignorar os avanços da sociedade brasileira nos últimos anos. O fantasma da superinflação que perseguiu muitos brasileiros em décadas passadas hoje está bem controlado. Parcela importante da população saiu da miséria e chegou a experimentar uma vida de consumo. No entanto, é a nossa péssima performance nos itens "confiança nos políticos" onde ocupamos a lanterna de todas as pesquisas, assim como a sentença "desperdício de dinheiro público".

Uma definição para "desperdício de dinheiro público" poderia ser a parte de nosso esforço diário, calculada na forma de impostos, destinada a resolver os problemas de saúde, educação e infraestrutura, mas que simplesmente escoam pelo ralo, por incompetência ou corrupção. Outra leitura possível é que empresas instaladas no Brasil precisam ser mais produtivas do que se instaladas em outros países. Importante lembrar que a corrupção nasce da inseparável dupla corrupto-corruptor, ou seja, se alguém recebe dinheiro indevidamente, alguém toma a iniciativa ou aceita pagá-la. Não à toa, no item "comportamento ético das empresas" o Brasil também ocupa o fim da lista na comparação com outros países.

Empresas que definem a ética como um de seus valores e componente essencial de sua cultura naturalmente contribuem para eliminar a corrupção e dar o exemplo de práticas éticas nos relacionamentos e nos negócios.

O mesmo mecanismo entra em cena quando as empresas adotam diretrizes de crescimento sustentável e de diversidade. Suas ações nesta direção serão implementadas por seus profissionais e não se imagina uma pessoa que de fato incorporou um valor de sustentabilidade, mas que não adote a mesma postura quando sai da empresa ao final do dia. Igualmente quando se valoriza dentro dos muros da organização a diversidade. Se o valor de que os "diferentes somam no lugar de subtrair" é perpetuado na empresa, seus profissionais irão disseminar o bem mesmo quando deixar de ser funcionário da companhia. Mais do que isso, ele pode ser um poderoso agente de transformação por onde quer que ele passe. O comportamento ético é um valor da pessoa, seja como funcionário, seja como cidadão.

Portanto, valores como ética, sustentabilidade, responsabilidade social e diversidade, ao serem adotados pelas empresas, trazem um impacto muito grande nas comunidades onde estão inseridas e na sociedade como um todo. Imagine a influência que uma grande empresa multinacional exerce sobre dezenas de países, envolvendo milhares e milhares de pessoas.

O melhor de tudo isso é que as pesquisas do Great Place to Work no mundo todo demonstram que os funcionários, ao serem questionados sobre o ambiente de trabalho, exigem cada vez mais posturas éticas e responsáveis por parte de seus líderes e de suas organizações. As Melhores Empresas para Trabalhar são também aquelas que melhor respondem a este anseio de suas equipes. Ao mesmo tempo, outras empresas que procuram se inspirar no exemplo das Melhores para transformar seus ambientes de trabalho entendem com naturalidade a importância destes valores e incorporam à sua cultura.

Construir uma sociedade melhor, transformando cada organização em um Great Place to Work – For All.

Podemos, desta forma, compreender a força que o movimento pela melhoria do ambiente de trabalho adquire, ganhando contornos de transformação social. "Construir uma sociedade melhor, transformando cada organização em um Great Place to Work " é a missão do Great Place to Work, que move centenas de colaboradores diretos espalhados em 58 escritórios no mundo. Suas pesquisas representaram cerca de cem milhões de funcionários de mais de dez mil empresas participantes. Cada um dos membros desta imensa comunidade são, antes de tudo, cidadãos que interferem nos rumos da sociedade, seja pelas suas iniciativas, seja pela omissão.

As pesquisas do Great Place to Work estimulam o comportamento ético dos líderes das empresas e demonstram que as Melhores Empresas são cada vez mais responsáveis socialmente. Boas empresas para trabalhar devem ser boas para todos: para brancos, negros, homens, mulheres, heterossexuais, homossexuais, transexuais, jovens, idosos, ricos e pobres. Esse é o conceito For All – que deve nascer e ser fomentado nos bons ambientes de trabalho e transpassado além dos muros corporativos.

Afinal, os funcionários buscam empresas cuja contribuição social seja relevante, garantindo o alinhamento entre seus valores pessoais e seu propósito com os da organização onde atuam. Dirigentes destas empresas não raro são líderes empresariais e comunitários, com voz marcante na sociedade e capacidade de influenciar eticamente a condução dos negócios e destinos da sociedade.

Um dos líderes brasileiros que ganhou popularidade além dos muros por sua postura ética, visionária e gestão participativa é Marcio Fernandes, mencionado neste livro. À frente da empresa de energia Elektro por seis anos, Marcio capitaneou uma revolução na gestão de pessoas e impulsionou a companhia em todos os sentidos. Sob seu comando, a Elektro esteve em primeiro lugar no ranking das Melhores Empresas para Trabalhar no Brasil por cinco anos consecutivos. Entre 2013 e 2017, a companhia, com sede em Campinas, no interior de São Paulo, foi considerada a Melhor Empresa para Trabalhar, com notas nas alturas. Em 2017, bateu 99,52% no Trust Index (Índice de Confiança) que corresponde à nota dada pelo funcionário sobre as práticas e políticas da empresa.

Em seu primeiro livro publicado, *Felicidade dá lucro*, Marcio explica a relação entre engajamento, produtividade e, consequentemente, retorno financeiro. "Em menos de dois anos (de 2012 a 2014) tivemos 22% de ganhos de eficiência nos custos operacionais (quase 100 milhões de reais), enquanto o indicador de qualidade dos nossos serviços melhorou mais de 15%, sem investimentos adicionais."

Todas as ideias aqui expostas são muito simples e óbvias. E exatamente aqui reside a força destes valores. Fazendo com que qualquer empresa, de qualquer tamanho, em qualquer lugar, possa se tornar um excelente lugar para trabalhar e, com isso, construir uma sociedade melhor.

Entramos em um período delicado em nosso país, com a ética sendo colocada à prova o tempo todo, em operações gigantescas, mas com perspectivas de mudança para que as novas gerações possam trabalhar com mais confiança em sua sociedade. Nossa obrigação é participar ativamente deste processo e contribuir para o progresso econômico e desenvolvimento social. Temos por obrigação fortalecer nossas instituições, moldando-as sobre padrões éticos irreparáveis.

Boa leitura e bom exercício de cidadania para todos!

**INTRODUÇÃO**

# Great Place to Work For All

**O que era bom o bastante para ser "great" dez ou vinte anos atrás, agora já não é suficiente. Para sobreviver e prosperar no futuro, organizações têm de se tornar Great Places to Work For All.**

Como outros executivos em posição de liderança, John Chambers gosta de vencer. Mas o jeito dele de vencer é diferente.

Recentemente, conversamos com esse CEO experiente da gigante tecnológica Cisco Systems. O rosto dele se iluminou ao falar de como vinham conseguindo bater a concorrência e a emoção de driblar os oponentes nos negócios por serem capazes de pensar lá na frente.

"O jogo de xadrez é divertido", disse Chambers, que deixou o cargo de CEO há três anos, mas continuou no conselho executivo da Cisco. "Eu nunca me movo no tabuleiro antes de revisar na minha cabeça as jogadas anteriores e posteriores."[2]

Ele joga bem. Durante os vinte anos como CEO da Chambers, o faturamento anual da Cisco passou, incrivelmente, de 1,2 bilhão para 47 bilhões de dólares. Foram eles que prepararam o terreno para a Internet como a conhecemos hoje e foram eleitos pela Business Insider como uma das "Maiores Empresas Tecnológicas da História".[3]

Assim, sob diversos pontos de vista, Chambers é a encarnação do líder sem firulas, que joga para vencer. Mas há algo que o diferencia. Diferentemente de muitos líderes executivos da sua época, Chambers se deu conta logo de início de que a chave para vencer como líder é atribuir poder ao seu pessoal; isto é, criar um excelente local de trabalho, onde as pessoas dão o que têm de melhor para a empresa.

Chambers chama isso de "cultura", mas você também pode considerá-la a rainha nas peças de um jogo de xadrez. "Embora algumas pessoas não vejam a cultura como um requisito-chave no trabalho do CEO, eu discordo respeitosamente disso", disse ele. "Eu acho que é a base de tudo."

O foco na cultura defendido por Chambers é a razão pela qual a Cisco tem lugar cativo na lista das 100 Melhores Empresas para Trabalhar que publicamos todo ano com a revista *Fortune*, nossa parceira. A Cisco, aliás, é uma das doze empresas "lendárias" que entraram para a lista em todos os primeiros vinte anos em que a publicamos.

Em uma conferência recente do Great Place To Work, Chambers falou no palco principal para o nosso "coro" – a comunidade de empresas que já compreende a importância de uma ótima cultura. Ele, no entanto, fez uma palestra sobre a economia digital emergente que mexeu com a cabeça de muita gente que ali estava.[4]

"A rapidez das mudanças está se acelerando", Chambers disse. E isso significa, mais do que nunca, que, dentro de uma organização, todos são importantes. As empresas não se tornarão vencedoras se esperarem que apenas os seus executivos sêniores abordem os problemas e tomem decisões. Hoje, há 17 bilhões de aparelhos conectados à Internet, Chambers lembrou, e esse número irá explodir para 500 bilhões em dez anos, o que significa que as companhias terão de lidar com uma quantidade de dados sem precedentes. "Vocês terão informação chegando às suas empresas de maneiras que nunca nem imaginaram", ele disse. "As decisões serão tomadas em níveis muito mais baixos, e rapidamente."

O resumo dessa mensagem é que a agilidade e o sucesso nas partidas de xadrez atuais requerem trazer todo mundo para o jogo, para, de fato, tomar decisões em vez de agir como peões passivos.

O que John Chambers falou para o nosso público está no coração deste livro. O que era bom o bastante para ser "great" dez ou vinte anos atrás, agora já não basta mais.

### DÉCADAS ESTUDANDO OS MELHORES

A nossa consultoria, o Great Place To Work (GPTW), sabe bem sobre o que Chambers fala. Por mais de duas décadas, temos conduzido uma das maiores sondagens do mundo com funcionários, principalmente por meio da pesquisa que fazemos para as muitas listas de Melhores Empresas para Trabalhar que produzimos em parceria com publicações especializadas em vários cantos do globo. Nos Estados Unidos, somos mais conhecidos por produzir a lista anual para a revista *Fortune* das 100 Melhores Empresas para Trabalhar e por outras listas de Melhores Empresas. Mas criamos listas similares para mais de cinquenta países nos seis continentes.

A cada ano, entrevistamos até quatro milhões de funcionários globalmente, em mais de seis mil empresas, estas que somam, em seu quadro de colaboradores, cerca de dez milhões de pessoas. Só nos Estados Unidos, reunimos aproximadamente 650 mil funcionários em 2016, obtendo resultados que refletem a visão de cerca de 4,5 milhões de trabalhadores americanos. Entre as instituições que estudamos, há empresas de todos os tamanhos e ramos.

Ao logo do tempo, isso resultou em uma grande reunião de dados a respeito da experiência de funcionários com as suas respectivas empresas, o que nos levou ao conceito de Great Place to Work – e de como os líderes podem construí-lo. Aprendemos que excelentes locais de trabalho não são criados por meio de um grupo de benefícios específico daquele ramo, limitado a organizações públicas ou privadas, grandes ou pequenas. Em vez disso, de modo universal, um Great Place to Work é aquele em que os funcionários confiam nas pessoas para as quais eles trabalham, têm orgulho do que fazem e se dão bem com os colegas.

**Coleta de dados do GPTW**

Uma das maiores sondagens com funcionários do mundo

- Mais de 3 milhões de sondagens, representando cerca de dez milhões de funcionários por ano.
- 58 países em seis continentes.
- Mais de seis mil empresas por ano.
- Baseada em trinta anos de coleta de dados.

> "Os nossos 30 anos de pesquisas nos mostram que um Great Place to Work é aquele em que os funcionários confiam nas pessoas para as quais eles trabalham, têm orgulho do que fazem e se dão bem com os colegas."

Quando iniciamos este trabalho, a nossa meta era entender e celebrar que tipo de experiência era considerada "ótima" pelos profissionais. No processo de análise, descobrimos algo ainda mais poderoso. As mesmas qualidades que os funcionários de todo o mundo citam como aquelas que tornam excelente o seu ambiente de trabalho – confiança, orgulho, camaradagem – também impulsionam o desempenho do próprio negócio.

Por exemplo, como iremos abordar no Capítulo 1, as empresas de capital aberto que aparecem na lista das 100 Melhores da revista *Fortune* lucraram no mercado de ações duas ou três mais vezes do que o índice da bolsa de valores.

E não para aí. Em comparação com os concorrentes, excelentes lugares para trabalhar se saem melhor no que diz respeito ao aumento do faturamento, retenção de funcionários, produtividade, inovação, resiliência, agilidade, serviço ao cliente e ao comprometimento dos funcionários, entre outros aspectos. Isso também é verdade, segundo o que descobrimos, no nível internacional.

Graças, em grande parte, aos nossos dados e aos achados de outros pesquisadores, ao longo dos últimos vinte anos, líderes têm percebido cada vez mais que o bom tratamento do seu pessoal também traz bons resultados à empresa.

## UMA NOVA FRONTEIRA

Mas essa fórmula geral também já não é mais suficiente. O jogo de xadrez se modificou, e as nossas pesquisas mais recentes mostram que o significado de um local de trabalho excelente também evoluiu.

> "A nova fronteira nos negócios envolve melhorar os resultados por meio do desenvolvimento de cada centímetro de potencial humano."

Entramos em uma nova era, uma nova fronteira para os negócios. Esse território ainda pouco explorado envolve melhorar os resultados da empresa por meio do desenvolvimento de cada centímetro do potencial humano das pessoas que trabalham ali.

A nossa economia passou da fase agrícola para industrial, da fase industrial para a da "informação" e chegou a um ponto em que qualidades humanas essenciais – como paixão, criatividade e vontade de trabalhar coletivamente – tornaram-se as mais importantes. Mudanças sociais e tecnológicas estão criando novos desafios e oportunidades para que as instituições atraiam os melhores talentos e conquistem clientes. A paisagem altamente dinâmica e competitiva privilegia a agilidade e está alterando este conceito. Mais pessoas, de origens mais diversificadas, estão se expressando e sendo ouvidas. Os *millennials*, em peso, esperam que os seus locais de trabalho lhes tragam significado, equilíbrio e desenvolvimento profissional. Esperam, ainda, que as marcas que eles compram tenham os mesmos valores e as julgam severamente quando não cumprem com o seu compromisso apenas para com os consumidores, mas também para com os seus funcionários. Mulheres, assim como pessoas de minorias étnico-raciais, estão se expressando mais, compartilhando as injustiças que enfrentam no ambiente de trabalho nas redes sociais e exigindo equidade.

Todas essas mudanças significam que as empresas têm um parâmetro mais alto para alcançar, criando culturas que sejam acolhedoras para todos. A nossa pesquisa, por exemplo, mostra que funcionárias que não sentem que podem conversar de maneira franca com os seus chefes descrevem uma experiência geral pior no trabalho e são mais propensas a abandonar o barco. Por outro lado, concluímos que, entre os muito criticados *millennials*, os que consideram a sua empresa um excelente local de trabalho são vinte vezes mais propensos a planejar um futuro de longo prazo trabalhando ali do que os que não consideram.

As Melhores Empresas para Trabalhar nos Estados Unidos passaram a tratar melhor os seus funcionários nas últimas duas décadas, aproximadamente. Mas os nossos dados mostram que, em sua maior parte, elas ainda gastam potencial humano à toa. Ainda empregam uma quantidade relevante de pessoas que não usam o seu potencial máximo no trabalho e, por isso, não contribuem para a empresa com o que têm de melhor.

## UMA NOVA ERA PARA O GREAT PLACE TO WORK

Começamos a nos focar no fato de que muitos excelentes lugares para trabalhar eram excelentes para alguns, mas não para todos, em 2015. Foi quando eu me tornei CEO do GPTW. Eu conhecia funcionários de muitas das nossas Melhores Empresas – e sabia que algumas dessas pessoas não tinham, na verdade, uma ótima experiência. E, mais que isso, conforme chegavam novos clientes, estes nos pressionavam para inovar a nossa metodologia de modo que abarcasse os novos desafios que os seus negócios estavam enfrentando.

Então, revisamos os nossos dados. A análise resultante nos impôs uma nova meta. Se vamos chamar uma empresa de "ótima", ela tem de ser ótima para todos. Tem de ser um Great Place to Work... FOR ALL.

Um Great Place to Work For All possui seis componentes que medimos:

1. Valores
2. Inovação
3. Crescimento financeiro
4. Eficácia da liderança
5. Maximização do potencial humano
6. Confiança

Os primeiros quatro itens fazem sentido para qualquer líder organizacional. O item 5, maximização do potencial humano, resultou de uma revisão dos dados que coletamos, que mostravam discrepâncias significativas na experiência de trabalho entre executivos e ocupantes de altos cargos. Entre homens e mulheres. Entre diferentes gerações. Entre pessoas de diferentes identidades étnico-raciais.

Então decidimos elevar a nota de corte do nosso modelo e também a metodologia, de forma a refletir o parâmetro For All. Maximizar o potencial humano é crucial para a nossa nova abordagem. Agora avaliamos como as companhias criam uma experiência consistentemente positiva para todos os funcionários, não importando quem sejam ou qual seja a sua função na empresa. Promovemos essas mudanças para refletir a realidade do mundo hoje e para reconhecer e aprender com as organizações inclusivas que estão desbravando esse território e definindo o ritmo da transformação. Não apenas por razões morais, mas pelos negócios também. A nossa pesquisa mais recente mostra que as empresas mais bem avaliadas no parâmetro For All aumentam o seu faturamento três vezes mais rapidamente quando comparadas às suas rivais menos inclusivas.

Em outras palavras, enquanto a confiança abastece o desempenho nos excelentes lugares para trabalhar, o parâmetro For All o acelera. Em outro estudo, descobrimos que as organizações mais bem avaliadas de acordo com a nova metodologia For All aumentavam o seu faturamento dez vezes mais rapidamente do que as empresas mais bem avaliadas no nosso antigo parâmetro – que avaliava confiança, orgulho e camaradagem (veja a Figura 6) – no mesmo período.

> **"Na atual economia emergente, os líderes devem criar em suas empresas uma cultura para todos, não importando quem sejam ou qual seja a sua função dentro da organização. Eles constroem um Great Place to Work For All."**

Faz sentido que as empresas For All tenham largado na frente, pois agora o sucesso do negócio depende do desenvolvimento de todo o seu potencial humano. Todos os funcionários são importantes em uma economia que envolve conectividade, inovação e qualidades humanas como paixão, caráter e colaboração.

Em suma, em uma economia emergente, as Melhores Empresas podem ser melhores – muito melhores. E precisam ser. Elas têm de trabalhar de novas formas e adotando novos comportamentos para criar uma cultura notável para todos, não importando quem sejam ou quais sejam as suas funções dentro da organização.

Isso vale para todas as empresas. Para sobreviver e prosperar no futuro, elas têm de construir Great Places to Work For All.

## UM NOVO MODELO

Os seis elementos do Great Place to Work For All são igualmente importantes. E complementam uns aos outros. As organizações são capazes de maximizar o potencial humano por meio de sua eficácia na liderança, valores significativos e uma cultura na qual todos os funcionários possam vivenciar altos níveis de confiança. Quando essas peças estão em seus devidos lugares, as empresas se beneficiam de inovações mais incrementadas e de crescimento financeiro. Na verdade, os seis elementos trabalham juntos para criar o retrato de um Great Places to Work For All (Figura 1).

É tudo muito bonito. Mas criar isso representa um desafio para os líderes: reconhecer o potencial humano é a jogada do momento, lindo no papel, e as pessoas que de fato conseguem fazer isso vencem. Nesta nova era, assegurar-se de que os seus funcionários e altos executivos refletem o mundo ao seu redor será uma questão crítica para os CEOs. Para começar, não há como ter um local de trabalho For All se você não tem todos os tipos de pessoas trabalhando ali. Além disso, executivos que refletem a população são essenciais, também, para entender as necessidades dos consumidores e para reter e inspirar os funcionários em níveis juniores da empresa. As pessoas precisam se identificar com os seus líderes para que possam acreditar que irão avançar e para, fundamentalmente, serem capazes de confiar neles.

Figura 1

## Retrato de um Great Place to Work For All

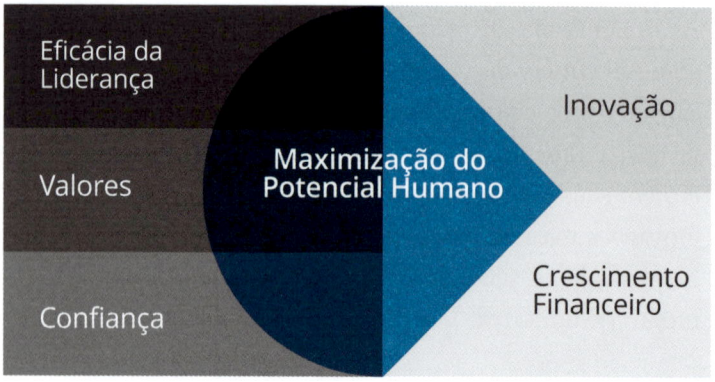

Não se trata apenas da identidade do executivo sênior – e de mudá-la, caso seja necessário. Outro grande ajuste a ser feito, que vem sendo apontado pelos especialistas em desenvolvimento da liderança, é que líderes devem passar por uma autoavaliação. Não é errado focar em pontos fortes e paixões, mas não é suficiente em um mundo em que os negócios caminham cada vez mais aceleradamente. Perspectivas diversas são essenciais, e todo mundo quer opinar. Os líderes de hoje também têm de olhar para fora: para o contexto dos negócios, claro, mas também para os funcionários. Devem colher dados objetivos sobre as experiências dessas pessoas e o que elas acreditam que está ou não está funcionando. Atualmente, ferramentas de avaliação, tanto de nós mesmos quanto dos outros, permitem-nos obter uma precisão cirúrgica no que diz respeito ao que pode ser melhorado. Pesquisas com os funcionários, ao medir o que realmente importa para o seu negócio e a sua cultura, são o "pedágio final" para melhorar os seus líderes e fortalecer a cultura da empresa de forma consistente.

## UMA REALIDADE NEBULOSA, UMA NOVA ESPERANÇA

Muitas empresas têm culturas fracas. Nebulosas, até. Mundo afora, há empresas com pessoas que não se sentem inspiradas nem ouvidas, que se sentem tensas, exauridas e inseguras.

Muitos locais de trabalho não apenas entorpecem a força de vontade e sobrecarregam as mentes, como também fazem mal ao corpo – em alguns casos, com condições perigosas de trabalho, mas também com estresse, que leva a doenças cardíacas e outros problemas de saúde que diminuem a nossa expectativa de vida.

Os executivos desses negócios podem até ganhar mais dinheiro e até gostar do seu trabalho, mas muitos sentem falta de um propósito maior no que fazem. Também se preocupam com o crescimento lento, com um cenário que muda o tempo todo e com como poderiam obter mais das pessoas que trabalham para eles, sendo que muitas delas se sentem ansiosas e desanimadas.

Mas há esperança em um Great Place to Work For All.

O nosso objetivo, ao escrever este livro, foi inspirar líderes para que canalizem o seu poder para a excelência: para que melhorem o desempenho de suas empresas e as vidas das pessoas que trabalham nelas, assim como o cenário dos negócios como um todo, ao construírem um Great Places to Work For All. Este livro está organizado em três seções que abordam essas áreas e traçam um perfil do tipo de líder que é capaz de construir esse trabalho For All.

> **"Líderes que se comprometem a construir Great Places to Work For All têm o poder de reparar e fortalecer vínculos sociais, melhorar vidas e elevar o espírito humano."**

A primeira parte, "Melhor para os negócios", é a de maior peso, pois apresenta um caso que demonstra por que líderes deveriam colocar a construção de um Great Place to Work For All entre as suas prioridades estratégicas. Nós compartilhamos histórias e evidências que revelam como as culturas de alta confiança podem impulsionar os ganhos e o sucesso de um negócio. Também explicamos por que Great Places to Work For All levam a uma maior agilidade, o que os torna essenciais para a sobrevivência da empresa em um cenário cada vez mais rápido, hipertransparente e tecnológico. Oferecemos descrições detalhadas dos seis elementos do Great Place to Work For All. E fechamos a seção mergulhando profundamente nos dados mais recentes que identificam problemas específicos vivenciados por diferentes grupos demográficos em seus locais de trabalho. Mostramos que, quando esses problemas são resolvidos, o potencial humano é maximizado e as organizações ultrapassam as suas rivais.

A segunda parte, "Melhor para as pessoas, melhor para o mundo", examina o impacto tremendo que o local de trabalho possui sobre os seres humanos e sobre o mundo como um todo. Por meio de exemplos reais de excelentes lugares para trabalhar, nós mostramos que, quando possuem uma experiência positiva no trabalho e são capazes de dar a ele o seu melhor, as pessoas levam vidas mais saudáveis e satisfatórias. Nessa seção, também abordamos os locais de trabalho como um aspecto-chave na construção de um mundo de prosperidade compartilhada, justiça e oportunidade. Mostramos como líderes que se comprometem a construir Great Places to Work For All têm o poder de reparar e fortalecer vínculos sociais, melhorar vidas e elevar o espírito humano.

A terceira parte, "Rumo a uma liderança For All", muda o foco da atenção para o perfil do líder For All, e os próximos passos que estes podem dar após lerem o livro, de modo a acelerar o desempenho para si mesmos e para as suas equipes. Aqui, compartilhamos a nossa nova pesquisa, que envolveu dez mil gerentes e 75 mil funcionários, e que nos permitiu identificar cinco perfis de líder: o líder inconsciente, o aleatório, o transicional, o bom líder e o que está no topo, o líder For All. Também compartilharemos o desempenho dos negócios relacionado a cada nível e dados baseados nas recomendações para se aprimorar como líder.

### UMA NOVA MISSÃO

Estamos tão convencidos de que Great Places to Work For All são melhores para os negócios, melhores para as pessoas e melhores para o mundo, que atualizamos a missão da nossa consultoria. Agora, ela inclui o For All, pois a nossa missão é construir um mundo melhor ajudando empresas a se tornarem Great Places to Work For All. E colocamos até mesmo um prazo para isso: queremos que todas as organizações, do mundo todo, tornem-se Great Places to Work For All até 2030.

> **"Temos uma nova missão e um prazo para cumpri-la – queremos que todas as organizações, do mundo todo, tornem-se Great Places to Work For All até 2030."**

Sim, essa é uma meta ambiciosa. Mas já fizemos isso antes. Quando começamos a explorar a ideia de um excelente lugar para trabalhar, há três décadas, o conceito ainda não estava popularizado. A nossa primeira lista de 100 Melhores Empresas, publicada na *Fortune* em 1998, causou estranheza. Pensar na cultura de uma empresa era considerada uma coisa de outro planeta pela maioria dos líderes. Hoje, empresas rotineiramente trabalham a noção de "excelente lugar para trabalhar" entre as suas prioridades, graças, em parte, ao impacto das nossas listas de Melhores Empresas e dos nossos programas de certificação.

A mesma coisa está acontecendo novamente. Há uma vanguarda trabalhando para construir na prática o conceito de For All. As melhores empresas estão buscando se tornar, rapidamente, Great Places to Work For All. Estão curiosas para saber o que significa exatamente e concordam com essa nossa nova metodologia. Logo, excelentes lugares para todos para trabalhar serão o que os funcionários, clientes e o público em geral esperam das empresas. E, desta vez, a transformação pode acontecer de maneira ainda mais célere, porque não estamos sozinhos em 2018. Mais e mais líderes de empresas em todo o mundo estão se manifestando de forma pública e corajosa em favor de um mundo For All.

Esperamos que este livro inspire você a se juntar a eles e a nós nessa missão. Você talvez seja o tipo de líder que adora competir e ganhar a partida de xadrez. Ou, talvez, a sua motivação esteja na ideia de criar uma ótima empresa para os seus funcionários. Ou pelo propósito de tornar o mundo um lugar melhor.

Não importa o que faz mais sentido para você,
o caminho é o mesmo: criar um
**GREAT PLACE TO WORK FOR ALL.**

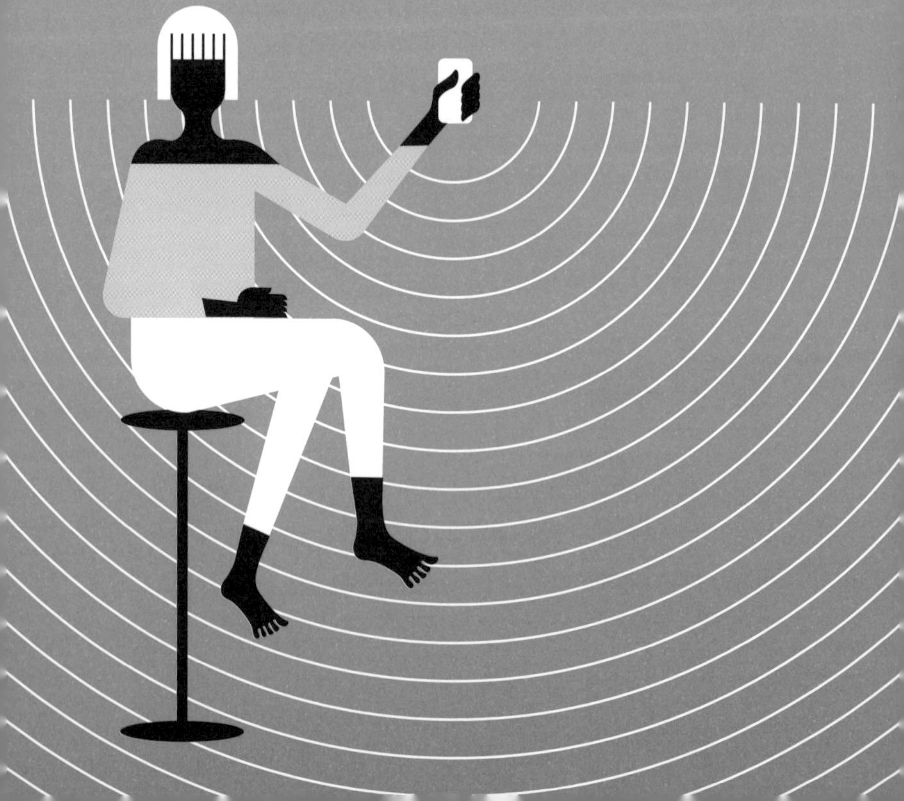

**Parte 1**
# Melhor para os negócios

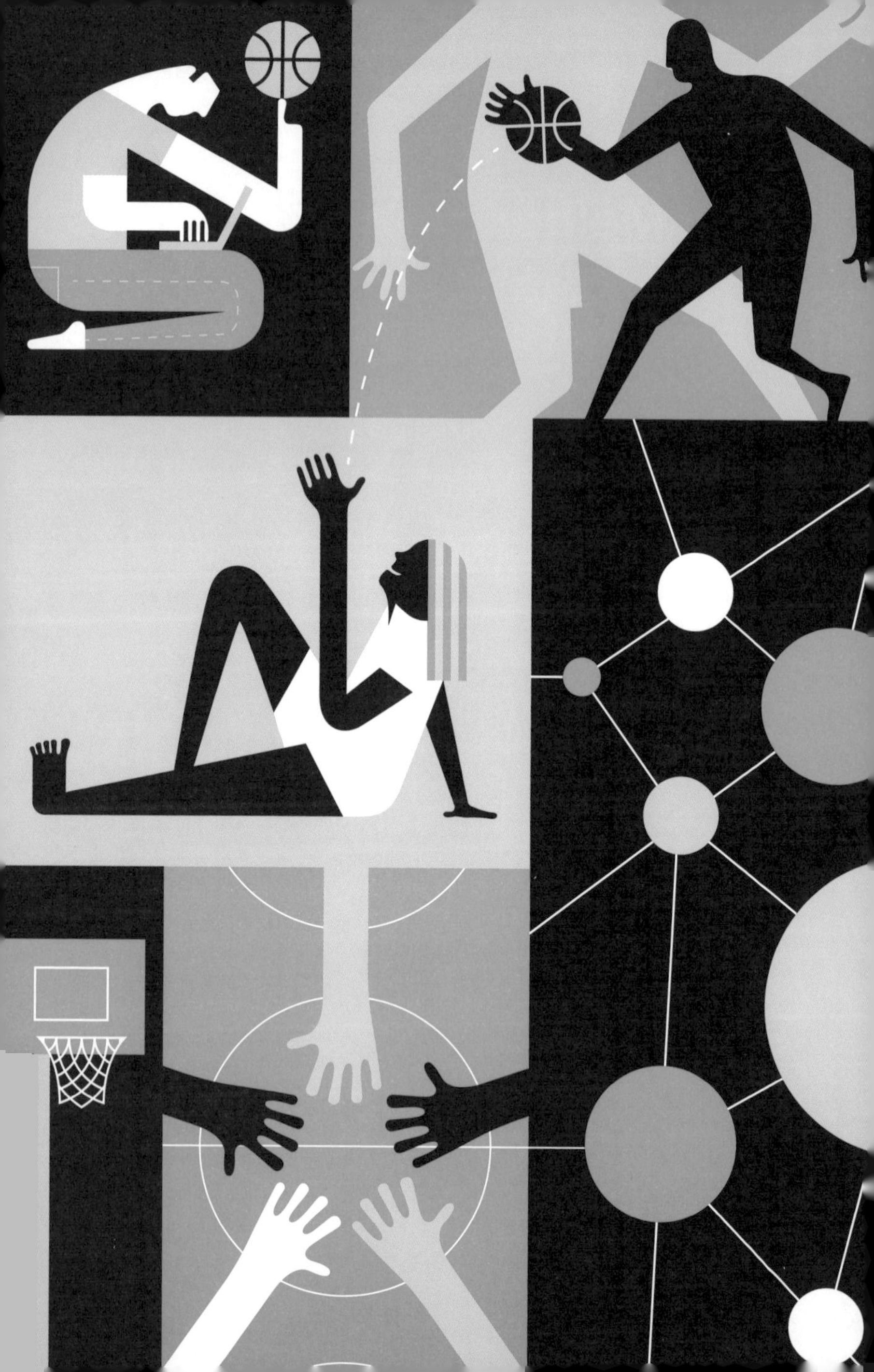

**CAPÍTULO 1**

# Faturamento maior, lucro maior

**Great Places to Work For All são melhores para os negócios. Uma cultura consistente de alta confiança está se tornando cada vez mais importante para o sucesso das empresas.**

Para ver a maneira como um Great Place to Work For All vence nos negócios, observe como a cultura For All vence na quadra de basquete.

Veja o exemplo dos Golden State Warriors. Este time de basquete profissional de São Francisco tem como lema "Strength in Numbers"* e o segue à risca. Diferentemente do estilo de jogo mais convencional, que isola os jogadores mais talentosos na função de marcar pontos ou de fazer aquelas paradas bruscas, os Warriors passam a bola incessantemente no ataque. Na defesa, os cinco jogadores trabalham juntos, sempre ajudando uns aos outros e revezando as suas funções.

Na temporada 2016/17, a defesa deles ficou em segundo lugar no ranking da NBA. Os Warriors também estão no ranking como o ataque mais eficaz nos últimos dois anos. E sua assistência ficou em primeiro lugar nos últimos três anos – um sinal do jogo generoso e cooperativo, que torna as cestas mais fáceis, entre elas, as que resultam de

---

* Nota do editor: "Força em números" (tradução livre).

arremessos de fora da linha dos três pontos, que renderam aos armadores Stephen Curry e Klay Thompson o apelido de "Irmãos Chuá" (*Splash Brothers*). De forma geral, o sucesso dos Warriors nas últimas três temporadas não tem precedentes. Venceram 207 e perderam 37 vezes – o melhor recorde de temporada no espaço de três anos na história da NBA. O time ganhou o campeonato da liga americana de basquete em 2015, por muito pouco não levou também o de 2016, e venceu de novo em 2017.

É claro que a chave para o forte desempenho dos Warriors está no talento individual dos seus jogadores, entre os quais Curry, eleito duas vezes o jogador mais valioso do campeonato, e também Thompson, Kevin Durrant e Draymond Green, todos estrelares. Mas os jogadores se beneficiam de uma cultura que conscientemente constrói confiança e uma comunidade forte e inclusiva. O treinador, Steve Kerr, assumiu o time em 2014, e uma das suas primeiras atitudes foi estabelecer um conjunto de valores que vai contra o que se vê em geral no basquete. Antigo campeão da NBA, Kerr declarou a "competitividade" como uma das diretrizes principais do time. Até aí, nada de surpreendente. Mas aqui estão os outros três valores que ele estabeleceu: alegria, atenção plena e compaixão.[5]

Na verdade, Kerr queria trazer um toque humano ao esporte que por vezes se levava a sério demais e tratava os jogadores mais como máquinas do que como pessoas que amam jogar. O ingrediente da compaixão também sinaliza um nível de cuidado e vulnerabilidade raramente ouvido de um líder de qualquer área, quanto mais de atletas.

Para os Warriors, os valores não são apenas palavras vazias pregadas em uma parede. O time se destaca por seus grupos de bate-papo e jantares, pelas peças que pregam uns nos outros fora da quadra e pelas comemorações superalegres durante as partidas.

Muito desse espírito de união vem do próprio Kerr. Ele provou que é um líder que respeita todos ligados ao time e que está disposto a diversificar o seu banco de talentos. Por exemplo, Kerr mudou a estratégia na última rodada do campeonato de 2015 baseado na recomendação de um dos seus assistentes menos reconhecidos. Na sua equipe, há um assistente de setenta anos – Ron Adams – e uma mulher como chefe da Medicina Esportiva. Embora Kerr instrua os seus jogadores abertamente, ele também é conhecido por ouvi-los. "O Steve é um ótimo ouvinte e, graças a isso, consegue colher boas ideias dos seus jogadores", diz Adams. "Eles sabem que o que dizem será ouvido e respeitado."[6]

Esportes dependem de trabalho em equipe, mas os Warriors elevaram esse conceito a um outro nível. E estão colhendo os frutos disso, inclusive no que diz respeito a atrair novos talentos. Adicionar Durrant, eleito anteriormente como o jogador mais valioso da liga, ao time foi crucial para obter o título de 2017. Ele se sentiu atraído pela atitude vencedora e de camaradagem dos Warriors.[7]

Essa atitude vencedora é abastecida por uma cultura que consegue, conscientemente, tirar o melhor de todos.

Os Warriors, aliás, são um exemplo perfeito de como Great Places to Work For All funcionam melhor para os negócios. A maioria das empresas não está tentando vencer jogos de basquete. Mas a mesma cultura For All encontrada nos Warriors permitirá que qualquer empresa obtenha um faturamento maior e um lucro maior.

## A CONFIANÇA ESTIMULA O DESEMPENHO

Um alto nível de confiança é fundamental em uma cultura For All. Os dados que coletamos e outras evidências demonstraram como culturas empresariais de alta confiança vencem nos negócios.

Por mais de trinta anos, o Great Place To Work estudou e reconheceu organizações cujas culturas demonstram altos níveis de confiança, em parte graças às listas de Melhores Empresas produzidas em parceria com a revista *Fortune*. O fato de serem reconhecidas como ambientes de alta confiança organizacional tornam essas empresas excelentes lugares para trabalhar segundo os seus funcionários. Essa pesquisa, assim como outras pesquisas independentes feitas por vários grupos, ilustra que compensa cultivar níveis altos de confiança. Entre os benefícios para os negócios que uma cultura de alta confiança pode trazer estão:

- Retornos do mercado de ações duas ou três vezes maior do que a média de mercado (veja Figura 2).

---

**O que é uma cultura de alta confiança?**

Trata-se de um local de trabalho no qual relações baseadas em confiança são altamente valorizadas. Nos nossos trinta anos de pesquisas, descobrimos que os funcionários sentem altos níveis de confiança quando:
- Acreditam na capacidade dos seus líderes (competência, comunicação, honestidade).
- Acreditam que são tratados com respeito como pessoas e profissionais.
- Acreditam que estão em um local de trabalho justo.

---

Por mais de uma década, uma empresa de investimentos independente acompanhou a performance das 100 Melhores Empresas para Trabalhar listadas pela *Fortune*. Em um portfólio simulado, que é modificado pela entrada de novos nomes de empresas todos os anos, a pesquisa mostra que as Melhores Empresas apresentam um retorno cumulativo quase três vezes maior do que o indicado pelos índices Russell 3000 e Russell 1000.

Outro estudo chegou a conclusões semelhantes. Alex Edmans, da London Business School, liderou um estudo complexo de quatro anos que provou que uma cultura de alta confiança é o que está por trás dos fortes resultados das Melhores Empresas no mercado de ações, e não o contrário. Ele também percebeu que as 100 Melhores Empresas tinham resultados no mercado de ações 2 ou 3% maiores do que os de seus concorrentes todos os anos durante um período de 26 anos.[8]

- Taxas de rotatividade cerca de 50% menores do que a dos concorrentes (veja Figura 3).
- Níveis mais elevados de inovação, satisfação de clientes e pacientes, comprometimento dos funcionários e agilidade organizacional, entre outros aspectos.

Figura 2

## Culturas de alta confiança são bem-sucedidas no mercado de ações

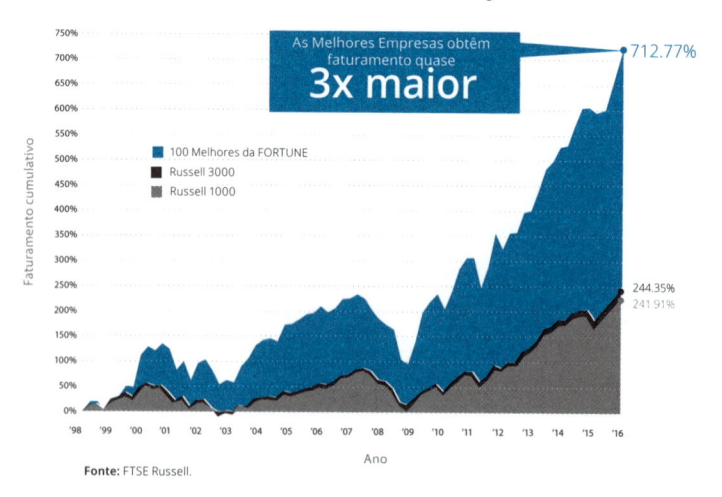

As Melhores Empresas obtêm faturamento quase **3x maior**

- 100 Melhores da FORTUNE: 712.77%
- Russell 3000: 244.35%
- Russell 1000: 241.91%

Eixo Y: Faturamento cumulativo
Eixo X: Ano ('98–'16)

**Fonte:** FTSE Russell.

Um estudo do Great Place to Work em hospitais, que apareceu na edição de 2016 da lista das 100 Melhores Empresas para Trabalhar da *Fortune*, concluiu que, em média, os hospitais com ambientes de alta confiança apresentam resultados significativamente maiores do que a média americana em seus sistemas de Avaliação do Consumidor para Serviços Hospitalares e Sistemas Relacionados (HCAHPS, na sigla em inglês).

Figura 3

## Culturas de alta confiança têm rotatividade menor

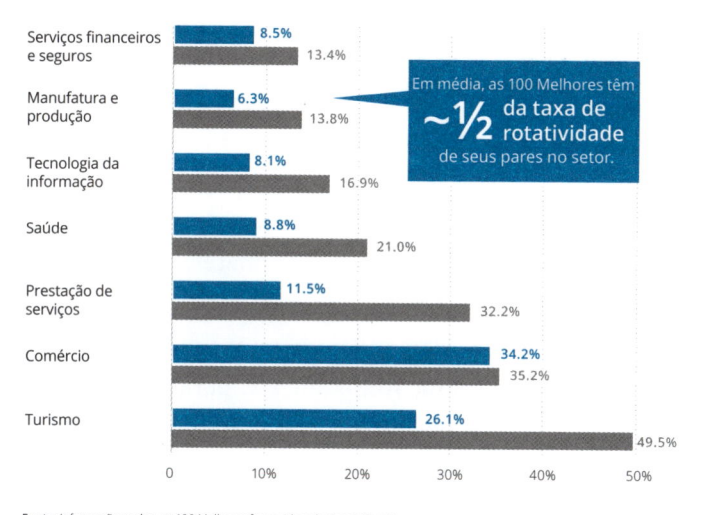

| Setor | 100 Melhores Empresas para Trabalhar (2017) | Média da Indústria Nacional |
|---|---|---|
| Serviços financeiros e seguros | 8.5% | 13.4% |
| Manufatura e produção | 6.3% | 13.8% |
| Tecnologia da informação | 8.1% | 16.9% |
| Saúde | 8.8% | 21.0% |
| Prestação de serviços | 11.5% | 32.2% |
| Comércio | 34.2% | 35.2% |
| Turismo | 26.1% | 49.5% |

Em média, as 100 Melhores têm ~1/2 da taxa de rotatividade de seus pares no setor.

**Fonte:** Informações sobre as 100 Melhores fornecida pelo Great Place to Work e dados comparativos fornecidos pelo Bureau of Labor Statistics. Os dados das 100 Melhores incluem rotatividade em empregos de meio período e de período integral; os dados do BLS, além disso, abrangem terceirizados.

A avaliação de hospitais indica se os pacientes os recomendariam (veja Figura 4). Como pacientes são o consumidor final na área da Saúde, esses resultados demonstram o impacto positivo da cultura da alta confiança na experiência geral do cliente.

## FOR ALL ACELERA O DESEMPENHO

É assim que locais de trabalho com alta confiança ultrapassam os seus concorrentes. Mas as nossas mais recentes pesquisas mostram que as empresas devem perseguir um parâmetro ainda mais alto para atingir o seu potencial total.

Por melhores que sejam, em geral, as 100 Melhores Empresas têm demonstrado desníveis significativos no que diz respeito à experiência do funcionário em alguns grupos. Por exemplo, há uma diferença relevante entre a experiência de trabalho de homens e de mulheres, entre trabalhadores assalariados e não assalariados e entre executivos e colaboradores, para citar apenas algumas dessas discrepâncias. Esses desníveis mostram que a experiência não é boa para todos e que os que sentem a diferença provavelmente não darão o seu melhor à empresa.

Figura 4
## Hospitais de alta confiança têm números mais saudáveis

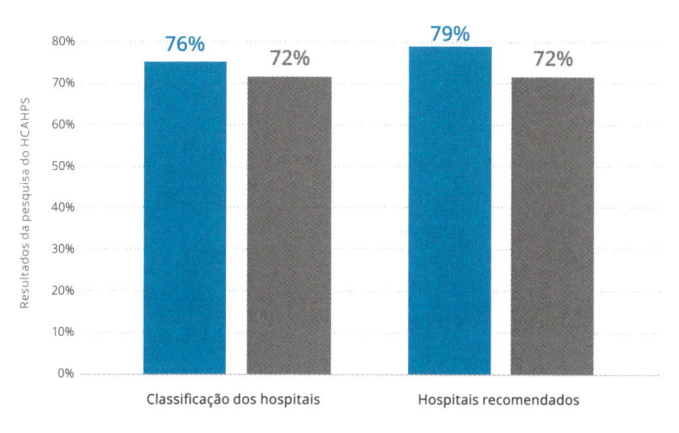

■ Vencedoras  ■ Média dos EUA

Resultados da pesquisa do HCAHPS

Classificação dos hospitais: 76% / 72%
Hospitais recomendados: 79% / 72%

Fonte: Análise do Great Place to Work

Ao mesmo tempo, estamos entrando em uma nova fronteira no mundo dos negócios. Esse território ainda pouco explorado tem a ver com o aproveitamento de cada centímetro do potencial humano, porque todo funcionário é importante em uma economia de conectividade, inovação e qualidades humanas como paixão, caráter e colaboração.

Mudanças sociais e tecnológicas estão gerando novas oportunidades e desafios para empresas que competem pela lealdade dos clientes e por funcionários talentosos. Os *millennials*, em particular, compõem um grupo altamente diversificado que procura no trabalho um significado, além de crescimento e equilíbrio. A reputação de desenvolver os seus funcionários e de acolher pessoas de todas as origens está se tornando cada vez mais essencial para atrair e reter a melhor equipe possível. Em suma, o clima atual dos negócios exige que as organizações criem uma ótima cultura para todos.

A nossa mais recente pesquisa corrobora a ideia de que as empresas devem se tornar Great Places to Work For All para obterem sucesso. A começar, descobrimos que estas largam na frente de seus concorrentes. Estudando sondagens realizadas com funcionários em 2017 das 100 Melhores Empresas e das que não chegaram à lista final, notamos que, quanto mais consistente for a organização do ponto de vista da inovação, da eficácia na liderança e da confiança, mais provável que ela cresça mais do que as suas concorrentes. Em particular, os 25% do topo das melhores empresas segundo esses critérios – que chamamos de ranking For All – apresentam um aumento no faturamento três vezes maior do que os das empresas dos últimos 25% nesse ranking (veja Figura 5).

Também concluímos que Great Places to Work For All aumentam o seu faturamento mais rapidamente quando comparados com empresas que apresentam altos níveis de confiança na média.

Até o ano passado, medíamos a experiência dos funcionários com base na média das respostas dadas no nosso Trust Index da Pesquisa com Funcionários. Essa abordagem "antiga" – que foi a base do nosso ranking de 100 Melhores Empresas para Trabalhar da revista *Fortune* por vinte anos – não levava em consideração diferenças estatisticamente significativas que podem existir entre grupos demográficos.

Figura 5
## O faturamento de Great Places to Work For All cresce mais rapidamente
Parte 1

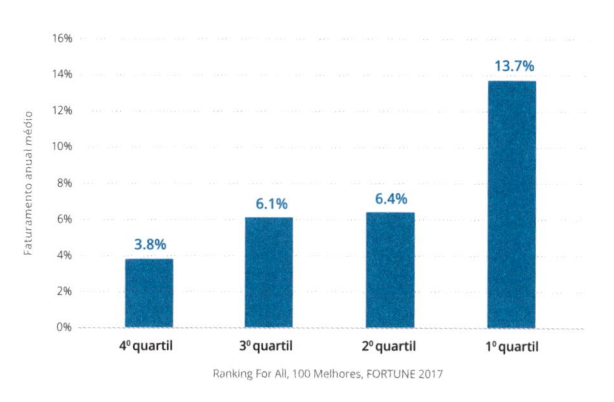

*Faturamento anual médio*

- 4º quartil: 3.8%
- 3º quartil: 6.1%
- 2º quartil: 6.4%
- 1º quartil: 13.7%

Ranking For All, 100 Melhores, FORTUNE 2017

**Fonte:** Análise do Great Place to Work

Em 2017, as organizações que ocuparam os primeiros lugares segundo a nossa nova metodologia For All provaram ser realmente diferenciadas com relação às que ocupavam os primeiros lugares de acordo com a antiga metodologia. E essas empresas For All do ranking atual cresceram mais rapidamente do que as melhores empresas do ranking anterior. Medimos um faturamento anual médio de 13,7% entre as empresas que estão nos primeiros 25% da lista com base no nosso ranking. Já o faturamento anual médio das empresas entre os primeiros 25% da lista anterior, ranqueadas da forma tradicional de medir a experiência de funcionários, era de 12,5% (veja Figura 6).

Essas evidências estão de acordo com outras que nós encontramos no que diz respeito às culturas inclusivas, que representam um valor maior no mercado de ações e para os investidores.

Figura 6
## O faturamento de Great Places to Work For All cresce mais rapidamente
Parte 2

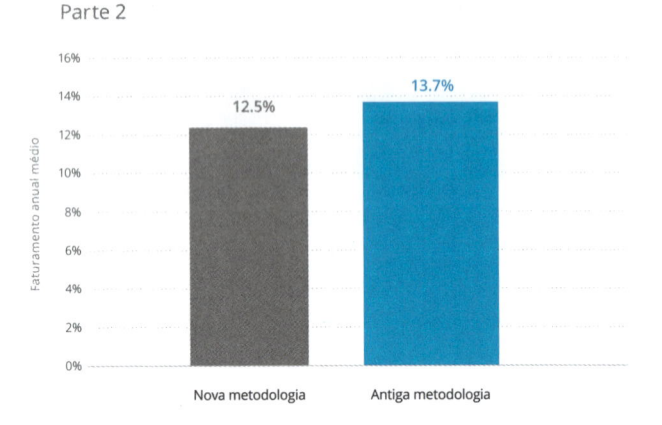

- Nova metodologia: 12.5%
- Antiga metodologia: 13.7%

(Faturamento anual médio)

**Fonte:** Análise do Great Place to Work

- Em um relatório de 2015, a consultoria McKinsey analisou 366 empresas de capital aberto de diversos ramos no Canadá, na América Latina, no Reino Unido e nos Estados Unidos e concluiu que as que tinham uma força de trabalho mais diversificada apresentam desempenhos financeiros superiores. Empresas com diversidade de gênero eram 15% mais propensas a superar as suas concorrentes com

menor diversidade de gênero, enquanto empresas etnicamente diversificadas se mostravam 35% mais propensas a ultrapassar a concorrência.[9]
- Um estudo de 2016 do Peterson Institute for International Economics abrangeu quase 22 mil empresas de 91 países e concluiu que "a presença de mulheres em posições de liderança pode elevar o desempenho da empresa" e que "os resultados positivos de políticas que facilitem de maneira geral o crescimento de mulheres na corporação podem ser significativos".[10]
- A nossa pesquisa para produzir a lista Melhores Empresas para a Diversidade, de 2016, mostrou também que os locais de trabalho mais inclusivos apresentavam faturamento médio anual cerca de 24% maior do que o das concorrentes certificadas apenas como Great Places to Work.
- O nosso estudo sugeriu que não é apenas a contratação de uma mão de obra diversificada que melhora os resultados. Apenas aumentar a diversidade numericamente não demonstrou uma melhora nos rendimentos. Mas os nossos dados mostraram que a experiência dos funcionários em um ambiente de trabalho genuinamente inclusivo – como se demonstrou em critérios como tratamento justo e acolhimento – é, sim, uma indicação de aumento na renda.[11]

Empresas líderes, entre as quais as 100 Melhores Empresas da *Fortune*, estão no caminho para se tonarem lugares para trabalhar For All. Estão trabalhando para corrigir lacunas na experiência dos funcionários. E já estão apresentando bons resultados.

Veja o exemplo da gigante de software Salesforce, que tem lugar cativo na lista das 100 Melhores Empresas. O CEO Marc Benioff e a sua equipe investiram três milhões em 2015 para corrigir a lacuna de gênero e salários da empresa. Essa atitude, juntamente com outras iniciativas em favor da equidade, foi recompensada. A Salesforce está se tornando uma referência para mulheres talentosas no campo da tecnologia e está desfrutando de equipes mais comprometidas. A porcentagem de funcionárias que declaram querer trabalhar na Salesforce no longo prazo saltou de 85% em 2014 para 93% em 2016. E 92% das funcionárias afirmaram em 2016 que as pessoas ficam animadas com a perspectiva de trabalhar na Salesforce, contra 85% em 2014.

Mas a empresa não parou por aí. A empresa fez um estudo de equidade salarial em 2017 e investiu mais três milhões para corrigir outros desníveis, como diferença de salários entre gênero. Talvez não seja surpreendente que a empresa esteja crescendo mais rapidamente do que as concorrentes, e que domine o mercado de software para gerenciamento de relacionamento com clientes.[12, 13]

Mas os Golden State Warriors parecem ser os mais vencedores de todos atualmente – e não apenas na quadra.

Com a sua cultura de "Strength in Numbers" na base de tudo, a franquia também tem colecionado recompensas no que diz respeito aos negócios. O valor do time aumentou em 37%, passando a 2,6 bilhões de dólares, em 2017, movendo-se, assim, do sexto ao terceiro lugar na liga.

Com uma taxa de renovação de 99,5% para a temporada, os Warriors se sentiram seguros o suficiente em 2017 para aumentar o preço dos ingressos em 15 a 25%. E a empresa ainda assinou um contrato de trezentos milhões com o Chase para que desse o nome do banco ao seu estádio – um preço recorde para uma arena nos Estados Unidos.[14]

O coproprietário dos Warriors, Joe Lacob, foi um pouco criticado por se gabar, em um perfil feito pelo *New York Times* em 2016, por seus "preceitos do Vale do Silício", como comunicação aberta e decisões tomadas de forma colaborativa, serem superiores aos dos seus pares. "Estamos anos-luz à frente de, provavelmente, todos os outros times em estrutura, planejamento e em como abordamos questões", disse Lacob ao *Times*.[15] Talvez ele possa ser acusado de pouca modéstia, mas não há como discutir que ele e seus sócios viram, de fato, o seu investimento florescer. Eles compraram o time por 450 milhões em 2010, o que significa que, em 2017, o seu Retorno Sobre Investimento (ROI) já havia chegado aos quase 500%.

A cultura dos Warriors pode servir de modelo a outros negócios. Para um Great Place to Work For All, esse *case* não é apenas uma cesta. É melhor... É um chuá de três pontos.

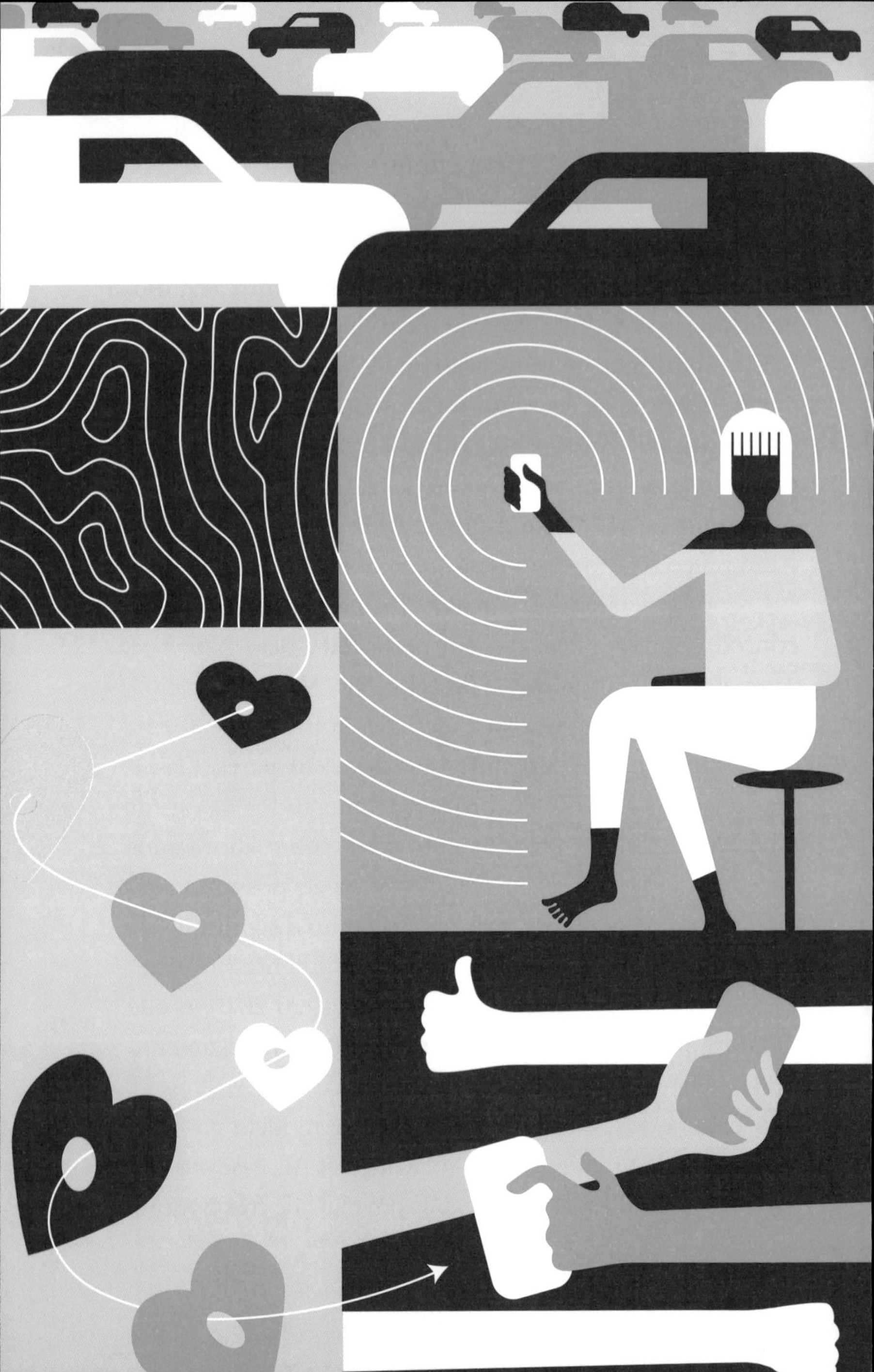

CAPÍTULO 2

# Uma nova fronteira para os negócios

**Mudanças sociais e tecnológicas exigem uma nova forma de fazer negócios.**

As regras do mundo dos negócios mudaram. É só perguntar à Uber. Em alguns poucos anos, o serviço de caronas não só transformou a indústria do transporte como abalou antigas noções de liderança, transparência e justiça.

Com o seu aplicativo para smartphone, a Uber foi pioneira ao propor um meio de deslocamento mais barato e mais conveniente. Elevou a "economia sob demanda" a outro nível ao recorrer a trabalhadores autônomos em vez de empregar funcionários tradicionais. Assim, rapidamente se tornou uma força global. Oito anos após a sua criação, em 2016, o faturamento da Uber tinha saltado de 6,5 bilhões para uma estimativa de setenta bilhões de dólares – quinze bilhões a mais do que a General Motors.[16]

Mas o seu CEO, Travis Kalanick, conhecido por sua insolência, também parece ter escapado por um triz de um acidente após o outro. Em janeiro de 2017, Kalanick e a empresa foram criticados por, supostamente, tentar lucrar enquanto motoristas de táxi protestavam contra a proibição da entrada de refugiados decretada pelo governo de

Trump. Instigados pela campanha #DeleteUber no Twitter, cerca de quinhentos mil usuários pediram o cancelamento de suas contas de Uber à luz desse incidente.[17]

A publicidade negativa continuou em fevereiro de 2017, quando a antiga engenheira da Uber, Susan Fowler, publicou um post em um blog denunciando a cultura machista da empresa – e que a Uber tinha se recusado a punir o gerente que a assediara sexualmente, em parte porque ele apresentava um "alto desempenho".[18] Houve, ainda, problemas legais, entre eles uma investigação conduzida pelo Departamento de Justiça dos Estados Unidos.[19] A reputação de Kalanick ficou ainda mais abalada quando vazou um vídeo dele perdendo a paciência com um motorista de Uber em uma discussão sobre políticas mais justas.[20] Muitos executivos saíram da empresa em meio a essas turbulências.[21]

Com os escândalos, surgiu também um aviso financeiro: Uber estava gastando dinheiro a uma velocidade impressionante. Foram sentidas perdas no balanço patrimonial que chegaram a um bilhão no último bimestre de 2016 – uma quantia que pode ter sido o maior déficit bimestral da história.[22] Enquanto isso, a rival Lyft adicionou mais de cinquenta cidades às suas operações, e outras companhias estavam considerando a entrada no mercado de compartilhamento de caronas.[23]

A Uber tentou se recuperar no início de 2017. A empresa traçou um plano para ajustar a sua cultura e demitiu vinte funcionários em junho devido a assédio, discriminação e comportamento inadequado.[24] Kalanick ainda prometeu passar por um *coaching* de liderança por causa de sua discussão acalorada com o motorista.[25] Mas não foi o suficiente para prevenir investidores de tirá-lo do banco de motorista.[26] Kalanick caiu do cargo de CEO em 21 de junho, permanecendo na diretoria da empresa.[27]

## VINTE ANOS FAZEM A DIFERENÇA

Ainda não se sabia, em meados de 2017, se os defeitos em sua cultura organizacional, os escândalos e a queda de executivos geraram pequenos buracos ou obstáculos insuperáveis na estrada da Uber. Mas a avaliação da empresa pelo público com certeza evoluiu em marcha à ré em meio a tantos problemas. Mas o fato de ela ter derrapado tão feio mostra como já não se faz negócios da mesma forma que há vinte anos.

Volte duas décadas e imagine como a Uber teria deslizado por quase todos esses obstáculos sem grandes sobressaltos. Àquela época, os consumidores se preocupavam menos com a ética e a política das empresas que faziam parte de suas vidas. Não havia redes sociais nas quais os protestos contra uma empresa pudessem pegar fogo tão rapidamente. A Internet ainda não era uma plataforma em que funcionários descontentes podiam comunicar as suas visões para o mundo. Nem havia emergido ainda essa cultura de autoexpressão – uma cultura intrinsecamente presente na nova geração de *millennials*, que busca um propósito positivo e significativo e tende a largar o emprego quando a empresa não está de acordo com os seus valores.

Em outras palavras, mudanças sociais e tecnológicas dramáticas estão gerando novos desafios para as empresas, que vivem na busca pelos melhores talentos e também pela fidelidade dos clientes. Os dias de CEOs no estilo "bad boy" estão contados. Cenários competitivos estão mudando rapidamente e priorizando, sobretudo, a agilidade, além de redefinir o que ela significa. A demanda por decisões descentralizadas aumenta a importância de se obter o melhor de todos os funcionários. Também tornando as questões humanas ainda mais cruciais está uma economia em que qualidades essenciais como paixão, colaboração e criatividade são vitais para o sucesso nos negócios.

Na verdade, entramos em uma nova fronteira para os negócios. Este capítulo mapeia como o cenário mudou graças a transformações sociais e tecnológicas. Explica por que negócios precisam se modificar para obter sucesso e mostra que aquilo que era bom o bastante para ser considerado *great* dez ou vinte anos atrás já não basta.

## MUDANÇAS SOCIAIS

Hoje, empresas estão operando em uma sociedade que espera mais delas; que espera que elas sejam mais diversificadas do ponto de vista demográfico e tenham funcionários sem medo de se expressar. Na verdade, todas as pessoas elevaram o seu parâmetro no que diz respeito a empresas, sejam elas consumidoras, investidoras ou funcionárias.

Após a Grande Recessão de 2008, os consumidores agora buscam "valor e valores", de acordo com uma pesquisa dos jornalistas Michael D'Antonio e de John Gerzema, presidente da consultoria de branding para a agência de publicidade Young & Rubicam. D'Antonio e Gerzema concluíram que mais de 71% dos americanos participam da "virada nos gastos", o que significa que têm alinhado cada vez mais o que compram com os seus valores. A virada passa por todos os grupos demográficos e tem favorecido empresas que demonstram transparência, autenticidade e bondade em suas operações.[28]

Enquanto isso, empresas americanas encaram um mercado cada vez mais diversificado. A população norte-americana era composta por 80 a 90% de brancos entre 1790 e 1980. O ano de 2011 marcou a primeira inversão de maioria/minoria: a maioria dos bebês americanos era composta por não brancos.[29]

As mudanças demográficas geraram separações culturais. Muitos *baby boomers* (os nascidos entre 1946 e 1964) e mais velhos resistem à mudança étnico-racial no país, enquanto a geração do novo milênio (os nascidos entre 1981 e 2004) é mais inclusiva. Um estudo mostrou que apenas 36% dos *baby boomers* achavam que mais casamentos inter-raciais representavam uma mudança para melhor, comparados a 60% de *millennials* que aplaudem essa tendência.[30]

Mas a geração *millennial* é aquela à qual as empresas devem prestar mais atenção, tanto como consumidora quanto como profissional. Eles ultrapassaram os mais velhos da Geração X (nascidos entre 1965 até 2000) como a maior fonte de mão de obra em 2015.[31] Naquele ano, havia aproximadamente 53,5 milhões de *millennials* trabalhando, o que representava cerca de um terço dos trabalhadores nos EUA.

Como funcionários, *millennials* priorizam significado, equilíbrio e estabilidade. Um estudo recente com 81,1 mil universitários apontou que os jovens classificam um propósito inspirador como a característica mais desejada em um empregador, seguido por outras prioridades, como estabilidade, equilíbrio entre vida profissional e pessoal e trabalhar para uma instituição com menos de mil funcionários.[32] Os *millennials* também esperam que o ambiente de trabalho seja mais personalizado e colaborativo e que estimule o seu desenvolvimento, apontam outras pesquisas.[33]

Isso não quer dizer que outras gerações não se importem com propósito e cooperação. Afinal, a *"Greatest Generation"* de americanos teve a coragem de derrotar os nazistas na Segunda Guerra Mundial, de reconstruir a Europa e de levar o homem à Lua. *Baby boomers* e representantes da Geração X tiveram a visão e a persistência de abrir empresas que remodelaram a maneira com que vivemos, como Microsoft, Genentech, Whole Foods Market, Apple, Google, entre outras tantas.

Pode ser que os *millennials* tenham princípios tão nobres com relação ao trabalho porque cresceram durante o *boom* econômico dos anos 1990. E muitos entraram para o mercado de trabalho no momento da recuperação dos EUA, que começou em 2009. De toda forma, essa geração se destaca em relação às outras no que diz respeito à ascensão profissional. A nossa pesquisa mostrou, por exemplo, que os *baby boomers* e a Geração X em geral têm uma experiência mais positiva no trabalho quando chegam a cargos mais altos. Executivos *millennials*, porém, têm uma experiência menos positiva do que os seus colegas mais juniores em cargos de gerência (veja Figura 7). Isso poderia ser o resultado de um desencontro entre as demandas de altos cargos executivos e as dos *millennials*, que buscam uma vida interessante fora do trabalho.

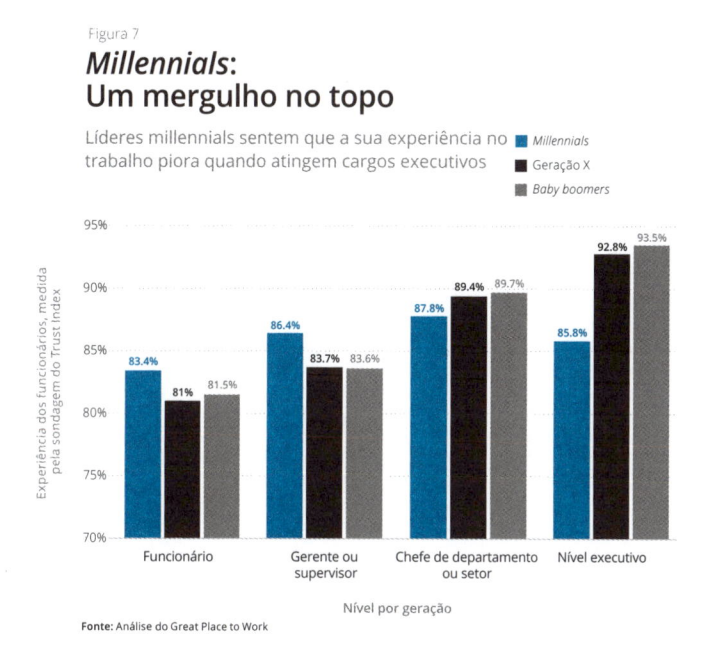

Figura 7

## *Millennials*:
## Um mergulho no topo

Líderes millennials sentem que a sua experiência no trabalho piora quando atingem cargos executivos

- *Millennials*
- Geração X
- *Baby boomers*

| Nível por geração | Millennials | Geração X | Baby boomers |
|---|---|---|---|
| Funcionário | 83,4% | 81% | 81,5% |
| Gerente ou supervisor | 86,4% | 83,7% | 83,6% |
| Chefe de departamento ou setor | 87,8% | 89,4% | 89,7% |
| Nível executivo | 85,8% | 92,8% | 93,5% |

Experiência dos funcionários, medida pela sondagem do Trust Index

**Fonte:** Análise do Great Place to Work

Além disso, *millennials* não têm medo de ir atrás de outro emprego quando as suas expectativas não são atendidas. A nossa pesquisa com diferentes gerações concluiu que menos de 5% dos *millennials* que não consideram o seu ambiente de trabalho excelente pretendem permanecer ali no longo prazo. O número é menor do que os 7% entre representantes da Geração X e 11% de *baby boomer*s que pretendiam ficar nas empresas mesmo que não as considerassem excelentes lugares para trabalhar.

De um lado, os nossos dados vão contra a crença comum de que *millennials* tendem a pular de galho em galho. Concluímos que, quando estão em um excelente local de trabalho, os jovens são tão propensos a permanecer ali do que representantes das gerações mais velhas são em suas respectivas empresas. Temos 90% de *millennials*, entre os que veem o seu local de trabalho como excelente, que desejam ficar ali por mais tempo. Em outras palavras, um excelente lugar para trabalhar tem uma taxa de retenção de funcionários vinte vezes maior (veja Figura 8).

Figura 8
## A confiança evita a rotatividade de *millennials*

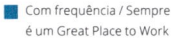

■ Com frequência / Sempre é um Great Place to Work
■ Com frequência / Nunca é um Great Place to Work

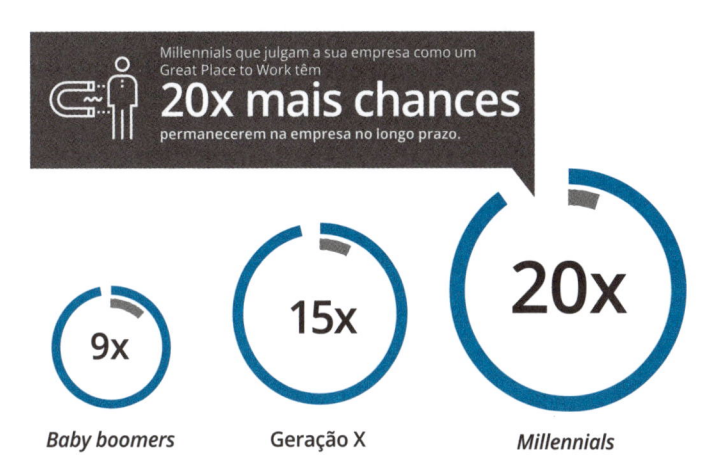

Millennials que julgam a sua empresa como um Great Place to Work têm **20x mais chances** permanecerem na empresa no longo prazo.

**9x** — *Baby boomers*
**15x** — *Geração X*
**20x** — *Millennials*

Os *millennials* também tendem a expressar as suas opiniões e preocupações publicamente, em fóruns da empresa, no Facebook e em blogs. A antiga funcionária da Uber Susan Fowler, que se formou na Universidade da Pensilvânia em 2014, é um exemplo disso. Não somente Fowler saiu da Uber depois de pouco mais de um ano, como documentou a sua experiência publicamente. O seu relato não apenas retratou a empresa como negligente e decepcionante com relação à sua denúncia de assédio sexual, como descreveu a cultura caótica e de "facada nas costas" na qual um gerente supostamente se gabou de esconder informações "importantes para o negócio" de outro executivo para obter a aprovação de um terceiro.[34]

O blog de Fowler, na verdade, foi a gota d'água que levou ao fim do reinado de Kalanick na Uber. Ela retratou a empresa como o último lugar no qual *millennials* que buscam uma cultura inspiradora, cooperativa e transparente gostariam de trabalhar. E, dada a participação cada vez maior dos *millennials* na mão de obra, como profissionais, e no consumo, como clientes, nenhuma companhia pode se dar ao luxo de negligenciar essa relação.

## MUDANÇAS TECNOLÓGICAS

A disposição e a habilidade de Susan Fowler ao postar sobre a sua experiência na Uber estão diretamente relacionadas ao seu crescimento em um mundo com tecnologias que encorajam a autoexpressão. Blogs, redes sociais e outras ferramentas de transparência estão entre as mudanças tecnológicas que desafiam as empresas. Entre outros desenvolvimentos tecnológicos que as empresas enfrentam agora, estão:

- Maior automação, que, paradoxalmente, torna as características profundamente humanas dos funcionários ainda mais valiosas.
- "Big Data" (a grande quantidade de dados armazenados) e a necessidade de análises e de disposição a aprender.

- Maior conectividade digital, que acelera o ritmo das mudanças e pressiona as empresas no sentido de descentralizar decisões.

## FERRAMENTAS DE TRANSPARÊNCIA

Susan Fowler está longe de ser a única a compartilhar os seus pensamentos on-line. Ao todo, 69% do público utiliza algum tipo de rede social, como Facebook, Instagram ou Twitter. Esse número era 50% em 2011 e só 5% em 2005.[35] Some essa utilização em massa à tendência das pessoas de fazerem comentários sobre o trabalho, assim como sobre a vida pessoal, na Internet, e à onipresença de câmeras nas empresas: o resultado é que quase tudo que acontece dentro de uma empresa pode vir a ser exposto.

Pense no que aconteceu quando o passageiro foi arrastado para fora de um voo da United Airlines por policiais quando ele se recusou a ceder o seu assento. Vários passageiros gravaram o incidente com os seus telefones e postaram os vídeos em redes sociais. As imagens viralizaram rapidamente e foram transmitidas pela grande mídia. Tempos atrás, antes dos smartphones e das redes sociais, o incidente teria aparecido, no máximo, como uma nota de jornal. Hoje, em vez disso, o episódio se tornou um pesadelo de relações públicas para a United. Um dia após o ocorrido, as ações da companhia aérea caíram em 2,8%, levando a uma perda de 600 milhões de dólares em capitalização de mercado.[36]

## MAIOR AUTOMAÇÃO, MAIOR HUMANIDADE

Exceto pelo incremento em tecnologias que, de fato, diminui a quantidade de colaboradores nas empresas, a marcha computacional e de automação pela qual estamos passamos está pressionando organizações em diferentes sentidos. Muito do debate nos últimos anos a respeito da "ascensão dos robôs" tem focado em como eles estão reduzindo o número de empregos nos EUA.[37] Esta é uma discussão importante para a sociedade como um todo. Mas um impacto mais imediato da automação é paradoxal: ela pressiona as empresas a despertarem o que há de menos robótico em sua mão de obra.

Realmente, a nossa economia evoluiu de agrária, industrial e de informação para o ponto em que qualidades humanas essenciais estão se tonando as mais importantes. O autor Dov Seidman usa o termo "economia humana" para expressar essa transição.[38] Ele observa que as habilidades analíticas e o conhecimento – características altamente desejáveis dos que ficaram conhecidos como "trabalhadores do conhecimento" – não são mais vantagens em uma era com máquinas cada vez mais inteligentes. Ainda assim, ele escreve que as pessoas levarão ao trabalho traços essenciais que não podem e não vão ser programados em software, como criatividade, paixão e espírito de equipe – em outras palavras, a sua humanidade. A habilidade de alavancar essas forças será o diferencial de uma empresa com relação às outras.

Pode-se notar essa humanização do trabalho na transformação do serviço ao consumidor ao longo dos anos. Grandes redes hoteleiras, como a Hyatt, abandonaram as respostas automáticas aos clientes que tinham por objetivo, justamente, otimizar o nível do serviço. Agora, de recepcionistas a garçons, todos são incentivados a interagir com os hóspedes de maneira autêntica. Alguns anos atrás, na nossa conferência anual, o vice-presidente executivo da Hyatt, Robert W. K. Webb, contou uma história notável ligada a essa mudança.[39] Um funcionário do serviço de quarto levou uma refeição a um casal hospedado no Hyatt de San Francisco e entabulou uma conversa com eles. Ele ficou sabendo que os dois ficariam aquela noite no quarto porque a mulher, recuperando-se de um câncer, estava cansada demais para sair. O funcionário do Hyatt, chamado Andy, também ficou sabendo que os dois adoravam música. Ele começou, então, a entoar canções de Frank Sinatra. O casal gostou tanto que pediu bis, o abraçou na despedida e o convidou a voltar na noite seguinte. E ele voltou mesmo – desta vez, com canções de Tony Bennett.

O marido escreveu à Hyatt uma carta de gratidão por essas serenatas-surpresa. Webb leu um trecho da carta no nosso evento: "A última experiência que imaginávamos que iríamos ter em nossa viagem a San Francisco. Mas acabou sendo o ponto alto". O resultado mais importante dessa bela impressão causada é que a Hyatt liberou os seus funcionários para interagir com os hóspedes com empatia, criatividade e paixão. "Andy foi espontâneo", disse Webb. "E o momento foi mágico para eles."

Essa mudança na ênfase em "mãos contratadas" para "cabeças e "corações contratados", como falou Seidman, tem importantes consequências para a maneira como a empresa gerencia o seu pessoal. E as relações de trabalho entorpecedoras e desanimadoras que a maioria das pessoas vivencia sofrerão ainda mais. As empresas que se sairão bem em uma economia humana serão aquelas que fazem as pessoas se sentirem vivas, nas quais os trabalhadores sentem que podem dar o seu máximo e atingir o seu máximo potencial humano.

## BIG DATA

A tecnologia, de fato, está pressionando as empresas a se tornarem mais humanas. Mas isso não quer dizer que o conhecimento tecnológico não seja importante. Pelo contrário, as empresas têm de usar o poder computacional de maneira inteligente para chegar a compreensões relevantes em todos os aspectos do negócio. A quantidade de dados armazenados só tem impacto quando se consegue tomar decisões com relação aos produtos, ao marketing e ao gerenciamento com base neles. Por exemplo, avaliar como os funcionários lidam com a experiência no trabalho sob a gerência de diferentes líderes é crucial para ajustar e otimizar o seu desempenho. Em geral, a necessidade de tomar decisões com base em dados significa que líderes precisam estar dispostos a aprender – isto é, terem vulnerabilidade, a cabeça aberta e o desapego da intuição caso esta vá no sentido contrário do que é mostrado pelos números.

### DIGITALIZAÇÃO

Uma última transformação tecnológica que está forçando as empresas a mudar a sua maneira de fazer negócios é a progressiva conectividade. Mesmo em um cenário de diminuição do comércio global, o fluxo de dados além-fronteira cresceu 45 vezes ao longo da última década, de acordo com pesquisas do McKinsey Global Institute.[40] Projeta-se que essa troca de dados aumentará ainda nove vezes até 2020. As conexões digitais contribuem para um ritmo de negócios mais ágil, no qual inovações aparecem rapidamente.[41]

A hiperconectividade também leva a uma incerteza maior. "O cenário competitivo está ficando mais imprevisível conforme plataformas digitais como Amazon, Alibaba e eBay empoderam empresas de todos os tamanhos, de qualquer lugar do mundo, lançando rapidamente os produtos e os levando para novos mercados", escreveram os pesquisadores da McKinsey em um artigo da *Harvard Business Review* em 2016.[42]

## UM NOVO TIPO DE AGILIDADE

Um ritmo mais rápido de negócios pressiona as empresas a se tornarem mais ágeis. Mas a combinação de mudanças sociais e tecnológicas descritas anteriormente está redefinindo o conceito de agilidade. Décadas atrás, executivos seniores podiam sondar o cenário, definir um caminho pelo qual a organização mudaria de direção e esperar que o comando fosse executado.

O velho modelo de "comando e controle" não funciona, porém, quando o tempo que leva para coletar informações para tomar uma decisão importante pode significar oportunidades perdidas. Como dissemos na introdução, John Chambers, presidente da gigante de redes computacionais Cisco, classifica o modelo de liderança tradicional, de cima para baixo, como obsoleto. "Criar uma cultura empreendedora que empodera todos os funcionários – dos estagiários aos engenheiros – e os estimular a inovar é essencial para a sobrevivência", nos disse Chambers.

Como a mudança de ênfase para "corações contratados", o movimento de descentralização nos processos de decisão, e o que alguns chamam de liderança *sense and response*, também está fazendo a gestão de pessoas ser ainda mais importante. Mais funcionários estão se tornando cruciais para o sucesso da empresa. Se eles não estiverem dando o seu melhor, a empresa pagará um preço por isso.

Além disso, a agilidade ganha uma nova forma quando os funcionários se mostram menos dispostos a agirem como peças massivas de uma máquina. Como foi abordado anteriormente, as pessoas hoje desejam um senso de propósito no trabalho; desejam ser incluídas nas conversas sobre os rumos da empresa. E, conforme as mudanças ficam mais rápidas, a organização inteira – toda a mão de obra – precisa ser resiliente e adaptável diante das rápidas viradas de estratégia.

Um novo modelo de agilidade está emergindo. A tendência tradicional de líderes de pegar impulso e arrancar é menos eficaz. Em vez disso, cada vez mais, líderes precisam ser capazes de atrair e juntar pessoas para gerir mudanças.

Um bom exemplo dessa agilidade em envolver todos pode ser vista na AT&T. Vamos pensar em como essa gigante da comunicação conseguiu se transformar rapidamente nos últimos anos. A começar, a companhia fez mudanças radicais na maneira como administra a sua massiva rede – lidando com o pessoal e com os serviços por meio de software em vez de hardware. Em 2015, a AT&T se tornou a maior operadora de TV por assinatura do mundo ao adquirir a DIRECTV. No ano seguinte, a empresa e o seu CEO, Randall Stephenson, deram outro passo ousado ao dar um lance para a compra da TimeWarner.

Como resultado dessas atitudes, uma empresa que era estritamente de telecomunicação mostrou que pode se destacar também em tecnologia e mídia. E isso impôs novas demandas aos seus mais de 260 mil funcionários, muitos dos quais começaram no ramo de telefonia fixa.

Por motivos óbvios, a natureza do trabalho está se modificando na AT&T. Logo, cerca de cem mil cargos exigirão habilidades técnicas diferentes. Nas palavras de Stephenson "[esse é] o maior desafio logístico que já enfrentamos". Mas a AT&T não vai resolver o problema simplesmente mandando embora os funcionários que não têm essas habilidades de ponta. E não está focando os investimentos somente em "altos potenciais". Em vez disso, a empresa e Stephenson estão trabalhando para trazer todo o seu pessoal para o futuro, convidando os seus colaboradores a se equiparem para o futuro digital em seu tempo livre, mas com as despesas pagas pela companhia. Em parceria com educadores e investindo pesado em novos currículos focados em tecnologia, a AT&T tem por objetivo investir no incremento da mão de obra para um futuro próximo.

Isso não é puramente um ato de "seja bonzinho com os seus trabalhadores" da parte de Stephenson. Como ele mencionou na conferência do Great Place to Work For All em 2017, o treinamento de funcionários já empregados pela AT&T faz mais sentido do ponto de vista dos negócios. "Não tem como simplesmente substituir cem mil pessoas", disse ele. "Mesmo que você seja um sem coração, não seria possível fazer isso. A realidade é que tínhamos que promover essa mudança de baixo para cima, com um plano de como reabilitar e reequipar cem mil pessoas."

A estratégia da AT&T mostra uma nova maneira de pensar a respeito de mudança e agilidade. Tem a ver com desenvolver e incentivar o potencial humano de todos. Não apenas durante tempos estáticos – que estão se tornando cada vez mais raros –, mas durante períodos de mudanças extremas também.

## A NOVA ECONOMIA SOB DEMANDA

Já abordamos a questão das mídias sociais e das mudanças tecnológicas que alteraram dramaticamente o cenário dos negócios e transformaram a própria agilidade organizacional. Há outra mudança no mundo dos negócios que precisa ser abordada, que não é tão radical como às vezes dizem que é: a economia sob demanda (*gig economy*, em inglês). A ascensão dos trabalhos por tempo de contrato, nos quais as empresas saem da relação empregador/empregado tradicional, muda o cenário do mercado de trabalho de maneira significativa. Dá às organizações uma flexibilidade financeira maior, mesmo quando levanta questões sociais relacionadas à estabilidade financeira e ao bem-estar dos trabalhadores.

Mas o que às vezes é ignorado nos debates sobre contratos temporários de trabalho é que a relação básica entre as empresas e os trabalhadores não muda. Pessoas são pessoas. Trabalhadores eventuais são atraídos a empresas em que confiam, assim como ocorre com funcionários. As empresas ainda têm de demonstrar credibilidade, respeito e justiça para que possam atrair os melhores talentos e obter o máximo dos seus colaboradores temporários. Você pode dizer que as empresas não deveriam se envolver demais com os seus colaboradores temporários, tendo em vista o crescimento dessa prática.[43] Mas se não demonstrarem carinho para com eles e não os tratar como parceiros mais do que como entidades transitórias, essas empresas vão tropeçar.

A Uber, exemplo sob medida da economia sob demanda, aprendeu essa lição da forma mais dura em 2017, quando Travis Kalanick foi gravado batendo boca com um motorista de Uber. O motorista, Fawzi Kamel, disse a Kalanick que a queda do serviço de carros "pretos", os mais luxuosos, não era recomendável, e que isso o prejudicou financeiramente. Ele diz que perdeu 97 mil dólares e faliu por causa dessa mudança de estratégia da Uber. "As pessoas não confiam mais em vocês", ele disse. Kalanick não tentou reconstruir a confiança de Kamel na discussão. Pelo contrário. Ele respondeu da seguinte forma: "Tem gente que não quer assumir a responsabilidade pela besteira que fez. Sempre culpam os outros por tudo que acontece na sua vida".

Nesse caso, entretanto, era Kamel que estava forçando Kalanick a assumir a responsabilidade pela besteira dele. Kamel mandou uma cópia do vídeo, gravado no para-brisa, para o canal de notícias Bloomberg. O incidente, que teria causado apenas uma pequena irritação em Kalanick se tivesse ocorrido vinte anos atrás, hoje se tornou outro pesadelo de relações públicas. Kalanick se viu obrigado a mandar um e-mail de desculpas para toda a equipe da Uber. "Dizer que estou envergonhado é minimizar ao extremo", escreveu Kalanick.[44]

Meses depois, Kalanick caiu de seu cargo de CEO, e a empresa estava trabalhando para restaurar a confiança com o seu pessoal e com o público. Se conseguirá se recuperar, ainda está em aberto, mas a série de acidentes chamativos da empresa mostrou que o cenário econômico se modificou nas últimas duas décadas. Mudanças de base na sociedade e avanços tecnológicos constantes criaram um novo conjunto de desafios e oportunidades, e uma nova maneira de se transformar.

O que era bom o suficiente para ser *great* já não basta. Trata-se de uma nova fronteira para os negócios.

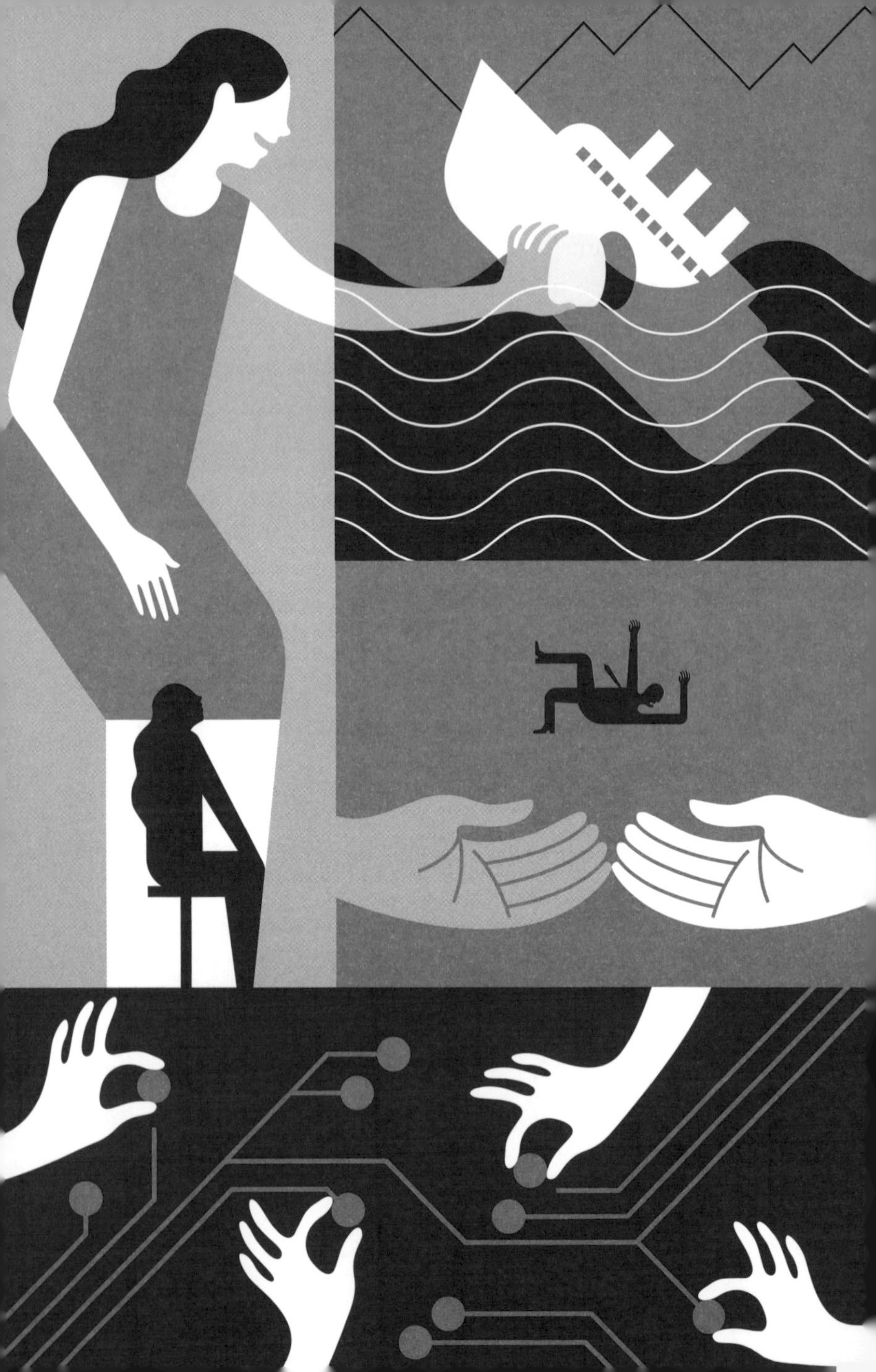

**CAPÍTULO 3**

# Como ter sucesso na nova fronteira de negócios

**A chave é maximizar o potencial humano por meio de liderança eficaz, valores e confiança. Acerte nesses aspectos e você verá crescimento financeiro e de inovação.**

Nós acabamos de traçar o novo cenário que as empresas enfrentam. Graças a mudanças tecnológicas e sociais, o parâmetro mudou: o que era bom o suficiente para ser excelente vinte anos atrás já não basta mais hoje em dia.

Alguns princípios básicos de negócios continuam tão verdadeiros como há vinte anos. Uma empresa bem-sucedida precisa ter um modelo de negócios robusto, uma estratégia inteligente e uma gestão financeira sábia. Mas o básico da escola de administração já não é mais suficiente. A jornada dos líderes rumo ao sucesso está evoluindo rapidamente. As mudanças ocorrem em curto espaço de tempo, a informação voa, e com mais transparência do que antes, e a tecnologia dá ao consumidor e ao colaborador o poder de ser ouvido em escala global em um instante. Esses são os desafios do nosso tempo. E os melhores líderes estão respondendo a eles.

Então, o que é preciso para ter sucesso nessa nova fronteira dos negócios? A chave é maximizar o potencial humano por meio de liderança eficaz, valores e confiança. Acerte nesses aspectos e você verá crescimento financeiro e de inovação.

Juntos, esses seis elementos compõem o retrato do Great Place to Work For All (veja Figura 9). Este capítulo detalha o que eles significam, como se relacionam com os desafios atuais para os negócios e como podem ser combinados.

Figura 9
## Retrato de um Great Place to Work For All

- Eficácia da Liderança
- Valores
- Confiança
- Maximização do Potencial Humano
- Inovação
- Crescimento Financeiro

Hoje, o sucesso em longo prazo exige mais do que esperam muitos líderes. Exige mais do que sequer imaginávamos.

## MAXIMIZANDO O POTENCIAL HUMANO

Maximizar o potencial humano é crucial para construir um Great Place to Work For All. É essencial para o seu sucesso como líder e como empresa.

O que queremos dizer com isso? Comecemos com a parte de "potencial humano". Isso quer dizer despertar nas pessoas o que elas têm de melhor. Dar a elas as ferramentas para que atinjam os seus potenciais como seres humanos, para serem o mais criativas, informadas e produtivas quanto possível. Significa que elas atingirão níveis que não pensaram ser possíveis nos projetos que assumirão, nas habilidades que desenvolverão e na inspiração que sentirão. O local de trabalho não precisa ser entorpecedor ou estressante ao ponto de ser debilitador. É um local onde as pessoas podem sentir-se vivas e participar ativamente da sociedade. Onde, segundo o psicólogo Abraham Maslow, elas podem se "autoatualizar".[45]

Para a empresa, isso significa duas coisas. A primeira é que ser um local de trabalho conhecido por ajudar as pessoas a desenvolverem o que têm de melhor está ficando cada vez mais importante no sentido de atrair novos talentos. *Millennials* e representantes de outras gerações que buscam trabalho estão atrás de empresas que lhes permitam crescer pessoal e profissionalmente. Além de atrair talentos, uma empresa que foque em potencial humano também impulsiona os resultados dos seus negócios. Em uma economia que exige agilidade descentralizada, constante inovação e uma relação autêntica com os clientes, as organizações precisam de uma mão de obra que seja capaz de dar o seu melhor. E com todos os funcionários. Uma empresa na qual alguns colaboradores não deem o seu melhor está perdendo dinheiro. É aí que vem a parte da "maximização". Se não está maximizando o potencial humano em sua empresa – tirando o que há de melhor de todos –, você não tem como mensurar o potencial total dos seus negócios. E isso trará problemas com o tempo, pois concorrentes estarão trabalhando no sentido de mensurar o potencial total de *seus* negócios.

Pense nisso como um navio. Quando não se obtém o melhor de todos, há vazamentos. Vazamentos pelos quais escapam valor, faturamento potencial e lucro. Benjamin Franklin escreveu: "Cuidado com pequenos gastos, pois um pequeno vazamento pode afundar um grande navio".

O que causa esses vazamentos? Falhas na experiência de trabalho – isto é, pessoas que, diferentemente dos colegas, não sentem que o seu local de trabalho é excelente. Engenheiros com experiências diferentes dos não engenheiros. Mulheres que não têm as mesmas oportunidades de liderança. Trabalhadores sentindo menos propósito e menos controle sobre as suas funções quando comparados aos executivos. Quando esses grupos têm uma experiência não tão boa no trabalho, eles não atingem os seus potenciais máximos. Maslow acertou ao falar de uma "hierarquia de necessidades": para se autoatualizar e dar o seu melhor, é preciso que algumas necessidades básicas sejam atendidas. Necessidades como a noção de que você faz diferença, de que você pertence àquele grupo, de que pode medir a sua estabilidade no emprego. Nos nossos trinta anos de pesquisas em locais de trabalho, percebemos que essas necessidades sustentam, no nível mais básico, as relações de confiança, orgulho e camaradagem.

Atualmente, é comum que alguns funcionários não sintam que essas suas necessidades são atendidas tanto quanto as de outros colaboradores. Desníveis no ambiente de trabalho são comuns. Nós os encontramos até nas Melhores Empresas. Em muitos casos, esses desníveis têm relação com o contexto cultural e histórico, enraizados em discriminações e em tendências como país e culturas. Talvez os desníveis não tenham sido causados pelas empresas atuais, mas as que quiserem ter sucesso vão trabalhar para corrigi-los.

Pode parecer difícil, mas você pode considerar esse desafio como, simplesmente, fazer para todos o que você está fazendo pelos funcionários que se saem melhor. Elevar todas as pessoas ao parâmetro que já foi colocado para algumas. Quando corrigem desníveis, as empresas avançam – e rapidamente. Como já foi mencionado, e como exploraremos em maiores detalhes no capítulo 4, as empresas que se mostram mais consistentemente como excelentes lugares para trabalhar crescem mais depressa. Também ultrapassam as concorrentes no mercado de ações.

Empresas que maximizam o seu potencial humano são como lanchas modernas. Largam para trás as concorrentes que têm vazamentos na experiência de trabalho que oferecem. Movidas por um motor abastecido por pessoas, Great Places to Work For All saem na frente. E liderá-las pode ser emocionante.

## EFICÁCIA NA LIDERANÇA

Para maximizar o potencial humano, é preciso ter uma liderança eficaz.

Em Great Places to Work For All, a liderança eficaz adota duas maneiras de usar o cérebro. A neurociência demonstrou a existência de um sistema sociocognitivo – os aspectos do cérebro que permitem nos conectar como seres humanos e cultivar o significado em nossas equipes –, e de outro mais analítico e orientado por tarefas, este nos permite avaliar o mercado e definir estratégias de alto nível.[46] Esses dois sistemas tendem a inibir um ao outro, o que significa que programas de MBA que focam quase exclusivamente em habilidades quantitativas, como operações financeiras, podem deixar os seus graduados deficientes no que diz respeito à gestão de pessoas. As equipes executivas de um Great Place to Work For All são capazes de ir e vir entre esses dois sistemas cerebrais.

Esse ciclo passa pelos quatro elementos-chave da liderança de um Great Place to Work For All. Primeiramente, líderes são capazes de se conectarem em um nível humano e emocional com os seus funcionários, independentemente de quem seja e o que façam no âmbito da empresa. Eles constroem relacionamentos significativos, respeitosos e de carinho no trabalho e fazem isso de forma justa. A justiça nos relacionamentos é particularmente importante. Isso significa ficar atento às pequenas preferências e tendências que todos temos como seres humanos. Também requer que líderes sejam conscientes quanto à "ameaça de estereótipos" – a maneira como membros de grupos minoritários se sentem ameaçados pela possibilidade de confirmarem estereótipos, como "mulheres não servem para a matemática".[47]

Isso não quer dizer que um alto executivo de uma empresa com cem mil funcionários deva conhecer todos os seus colaboradores pelo seu primeiro nome. Mas todas as interações devem refletir humildade, reconhecendo a dignidade de todos os colaboradores e demonstrando os valores da organização.

Há, porém, um grupo no qual os líderes seniores devem formar vínculos fortes: com os membros da própria equipe executiva. E este é o segundo elemento-chave. Equipes executivas – que, em geral, variam entre seis e doze membros – devem estabelecer altos níveis de confiança interpessoal e de colaboração. Os CEOs devem se cercar de pessoas que eles considerem como de alta credibilidade, que sejam consistentemente respeitosas e justas com todos aqueles que encontram. O CEO deve ser visto dessa exata mesma forma. Alta confiança e equipes executivas altamente funcionais são importantes para criar estratégias e operações eficazes, mas também para servirem de modelo para como todas as equipes da empresa deveriam agir e interagir. Cada membro dessa equipe sênior deve duplicar a cultura organizacional em suas respectivas equipes por meio de relatórios que farão essa cultura "descer" pela empresa em efeito cascata.

A noção de uma cultura positiva descendo do topo para os níveis mais baixos em efeito cascata é o terceiro elemento-chave da eficácia na liderança: construir e comunicar uma estratégia coerente em todos os níveis da organização. Líderes no topo devem explicar a visão geral da companhia de forma clara e acessível, de modo que todas as unidades de negócios entendam qual é o seu papel no todo. Especialmente quando a empresa tem de propagar decisões entre os níveis mais baixos, um plano lúcido, lógico e difusor é vital, caso contrário o caos reinará e arruinará todos os esforços no sentido de empoderar os funcionários.

É um equilíbrio complicado. Mas quando a equipe executiva consegue transmitir a sua estratégia para todos os gerentes, passando a eles um sentimento de propósito, o desempenho decola. Como exemplo disso, podemos ver os resultados de um estudo recente sobre um grupo das nossas Melhores Empresas que reuniu pesquisadores da Harvard, da Columbia e da Universidade de Nova York.

Eles concluíram que, quando gerentes de nível médio em empresas de capital aberto têm um senso de propósito combinado a expectativas claras quanto ao seu desempenho, suas companhias apresentam resultados superiores na Bolsa de Valores.[48]

O quarto aspecto-chave da liderança eficaz é uma equipe sênior de executivos que reflita a demografia da organização e da comunidade como um todo. Esse é um aspecto importantíssimo, porque perspectivas diversificadas geram decisões melhores.[49] Também é vital porque permite construir credibilidade e esperança entre os funcionários de níveis mais baixos da organização; quando olham para cima e veem seus semelhantes em cargos de liderança, as pessoas se sentem persuadidas a avançar e a dar o que têm de melhor. Idealmente, a diversidade na liderança também deveria descer em efeito cascata por toda a organização, de modo que todos os líderes procurem compor equipes diversificadas e que consigamos encontrar pessoas de diferentes origens em todos os níveis de liderança.

Quando equipes executivas têm sucesso a esse respeito, a recompensa é grande. Criamos o nosso Índice de Eficácia Executiva para medir como funcionários veem os seus líderes seniores em questões como clareza estratégica, equidade e autenticidade nos relacionamentos. Concluímos que empresas certificadas como Great Places to Work que apresentam pontuações mais altas nessa categoria aumentam o seu faturamento três vezes mais depressa do que as empresas com as menores pontuações nesse índice (veja Figura 10).

Figura 10
**Eficácia executiva aumenta o faturamento**

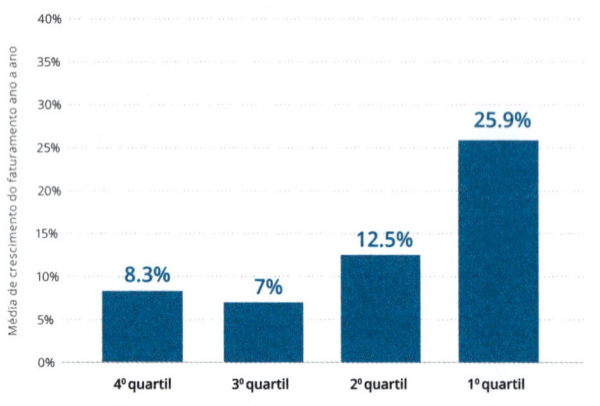

Média de crescimento do faturamento ano a ano

- 4º quartil: 8.3%
- 3º quartil: 7%
- 2º quartil: 12.5%
- 1º quartil: 25.9%

Empresas certificadas ranqueadas pelos resultados na Eficácia Executiva, medida pelo Trust Index

**Fonte:** Análise do Great Place to Work

Em suma, a eficácia na liderança significa se conectar com os funcionários e suas equipes de forma estratégica e pessoal, despertando o potencial total das pessoas e da organização.

## VALORES

Valores não são uma novidade no mundo dos negócios. Mas o que era antigo ficou novo – ou importante de novas maneiras quando se trata de maximizar o potencial humano e obter sucesso.

Quando falamos de valores em um Great Place to Work For All, não estamos nos referindo apenas a um mero *slogan* na parede ou ao "Trabalhe Conosco" do site de sua empresa. Estamos falando de princípios que guiam a maneira cotidiana com que as pessoas trabalham na organização. Empresas inteligentes se asseguram de que esses valores e comportamentos darão apoio à sua estratégia.

Os líderes devem partir dos valores para tomar aquelas decisões que não podem se basear somente em relatórios e tabelas de dados. São os princípios fundamentais que guiam as escolhas dos executivos em assuntos complexos e difíceis. Assuntos como contratação, demissão, expansões geográficas, oferecimento de mais serviços aos consumidores e fusões. Valores, por exemplo, são essenciais para a decisão da gigante tecnológica Cisco de aprovar ou não novas aquisições. Muitas fusões e aquisições falham, com frequência devido à dificuldade de fundir duas culturas corporativas. Mas a Cisco tem um histórico de quase duzentas boas aquisições, em grande parte por prestar bastante atenção aos valores e à cultura das empresas potencialmente adquiríveis. "Se a cultura delas for dramaticamente diferente, nem nos aproximamos", explica o presidente John Chambers. Uma vez, uma possível aquisição se recusou a admitir um problema relacionado a Stock Options. "Se tivessem simplesmente me dito, eu teria levado o problema diretamente ao governo e o resolvido. Mas, porque não nos disseram, quando descobrimos, desistimos da compra", disse Chambers.

Valores também são importantes quando os líderes enfrentam decisões "ditas" For All. Em outras palavras, com o quanto eles estão comprometidos com uma empresa e uma sociedade em que todas as pessoas são valorizadas. Um bom exemplo disso é a maneira como o CEO da AT&T, Randall Lynn Stephenson, lidou com o polêmico movimento *Black Lives Matter* (Vidas Negras Importam) em meio à tensão racial de 2016. Os seus comentários sobre o assunto em uma reunião interna foram gravados – sem o conhecimento dele – e postados em uma rede social, e logo viralizaram. Entre os valores da AT&T, estão "importar-se uns com os outros, dentro e fora do trabalho" e "fazer a coisa certa".[50] Nesses comentários, Stephenson dizia que o seu apoio ao movimento *Black Lives Matter* se baseava em uma epifania pessoal: havia pouco tempo que ele soubera que o seu melhor amigo, um médico negro, sofrera discriminação em muitas ocasiões ao longo de sua vida. Stephenson percebeu que, como ele e seu melhor amigo não tinham conseguido conversar sobre esses problemas, os Estados Unidos como um todo precisavam de um diálogo mais honesto sobre questões étnico-raciais – e que se opor ao *Black Lives Matter* podia inviabilizar esse diálogo. "Quando uma pessoa que sofre com algo transmitido em nossas ondas de rádio diz 'vidas negras importam', não devemos responder com 'todas as vidas importam' como forma de ignorar uma real necessidade de mudança", disse Stephenson.

Na nossa conferência anual de 2017, Stephenson admitiu que ele não sabia se devia tocar nesse tópico paralelo da vida nos Estados Unidos. Afinal, 43% dos americanos – e apenas 40% dos americanos brancos – apoiavam o movimento *Black Lives Matter* em meados de 2016.[51] Mas Stephenson sentiu que era a coisa certa a se fazer. E ficou surpreso com o apoio positivo que recebeu de pessoas de todas as cores. Stephenson recebeu tantos comentários que levou meses para terminar de lê-los. "A minha fala apenas permitiu que as pessoas fizessem algo que estavam morrendo de vontade de fazer", disse ele. "Tocou em um ponto nevrálgico no sentido de 'vamos conversar sobre isso'."

Assumindo um risco ao preservar os princípios da AT&T e o seu próprio código moral, Stephenson não apenas ajudou os seus funcionários – e a nação – a estabelecer um diálogo honesto sobre questões étnico-raciais. Ele também mostrou que a AT&T é uma empresa da qual o público consumidor pode se orgulhar.

Muitas empresas declararam os seus valores nas últimas décadas. Mas nem todas agem de acordo com eles. Tenha a certeza de que o público – funcionários, clientes e investidores – percebem, no final das contas, em quais empresas e líderes devem acreditar. Isso pode ser visto em um estudo intrigante feito com as nossas Melhores Empresas.

Essa pesquisa de 2013 feita por acadêmicos da Universidade de Chicago e duas outras firmas de pesquisa concluiu que os "valores proclamados" pelas empresas parecem ser irrelevantes para os resultados dos negócios. Mas a pesquisa também observou que o desempenho da empresa é mais forte quando os funcionários veem os seus gerentes como confiáveis e éticos – dois conceitos que tipicamente aparecem entre os valores proclamados. Especificamente, a pesquisa, que cobriu setecentas empresas participantes do nosso Trust Index, revelou que altos níveis de percepção de integridade na gestão estão correlacionados com "produtividade mais alta, lucratividade, relações industriais melhores e um nível mais alto de atratividade para os que buscam emprego".[52]

Em essência, quando as empresas praticam valores fortes, os funcionários os apreendem de forma figurativa, enquanto os consumidores o fazem de forma literal. Graças às mudanças no cenário de acordo com um público mais consciente dos propósitos e da transparência das empresas e com expectativas maiores de que líderes organizacionais promoverão mudanças sociais, valores significativos estão ficando cada vez mais valiosos.

### A BASE DA CONFIANÇA

A chave final para a maximização de potencial humano e criação de uma empresa construída para o sucesso é a base da confiança. A confiança é o diferencial que descobrimos nos excelentes lugares para trabalhar trinta anos atrás. E a confiança – especificamente, uma relação de confiança entre os funcionários e a liderança – continua tão importe hoje quanto era àquela época. Isso porque, embora as condições de trabalho tenham se modificado dramaticamente, as pessoas continuam sendo pessoas. A confiança é uma exigência universal de relações positivas.

Também descobrimos que a camaradagem entre colegas e o sentimento de orgulho fazem parte do que tornam a experiência de trabalho excelente. Mas você pode pensar: a confiança existe, em primeiro lugar, entre os iguais. Sem a confiança nos líderes, porém, a camaradagem se torna uma relação pouco saudável de "nós contra eles", e o orgulho se desenvolve apesar das falhas da organização, como uma espécie de prêmio de consolação em meio a um contexto desagradável. A camaradagem e o orgulho encontram a sua melhor e mais plena versão quando há também confiança.

Como construir uma cultura de alta confiança? Acreditamos que os elementos-chave da confiança sejam credibilidade, respeito e justiça. Funcionários confiam em líderes que veem como honestos, respeitosos e justos. Como já abordamos neste capítulo, líderes devem agir de forma escrupulosa e justa e demonstrar respeito para com todos na organização. Também devem se mostrar competentes na gestão de negócios e coerentes com o que dizem.

Ao longo do tempo, vimos que um dos primeiros passos que os líderes deveriam dar para aumentar a confiança é ouvir os seus funcionários – perguntar como estão e envolvê-los nas decisões que irão afetá-los. Vimos, ainda, que as crenças fazem diferença. Se um executivo não acredita que os seus funcionários tenham coisas interessantes a dizer, se eles fundamentalmente acreditam que são melhores que as pessoas que estão "abaixo" deles, se pensam que os trabalhadores são por natureza preguiçosos e traiçoeiros, fica difícil para eles cultivar a confiança. Mesmo que sigam a cartilha de perguntar as opiniões dos funcionários e de reconhecer as suas conquistas, se as suas ações parecerem insinceras, as pessoas sentirão a falsidade.

Nos últimos anos, exploramos o conjunto de crenças que cerca a confiança. Identificamos o que chamamos de Lógica de Confiança For All, segundo a qual as pessoas confiam de forma profunda e vasta. Líderes com esse pensamento não são ingênuos. Não dão chances infinitas a funcionários de desempenho ruim. Mas tendem a ter fé nas pessoas e ver os seus erros com curiosidade em vez de condená-los. Dão às pessoas o benefício da dúvida, independentemente de quem sejam ou do que façam na empresa. Com a ajuda da Lógica de Confiança For All, líderes podem construir a confiança. Eles criam uma cultura em que a confiança não corre verticalmente entre funcionários e líderes. Também flui horizontalmente entre colegas, o que acelera decisões e melhora a colaboração. No fim das contas, a confiança abastece o desempenho. Temos décadas de dados para provar esse argumento. Organizações de alta confiança desfrutam de altos níveis de comprometimento dos funcionários, maior retenção de funcionários, melhor desempenho no mercado de ações e maior lucratividade, para citar algumas vantagens que mencionamos no primeiro capítulo.

Ao falarmos de Great Places to Work For All, explicamos que a extensão For All tem a ver com partilhar de um clima excelente de alta confiança e de seus benefícios com todos. Ao fazer isso, superando lacunas, as organizações se saem ainda melhor nos negócios. A confiança abastece o desempenho; For All acelera isso.

## INOVAÇÃO

Quando as empresas maximizam o potencial humano por meio de uma liderança eficaz, de valores significativos e de uma base da confiança, boas coisas acontecem. Uma delas é a inovação.

Em uma época em que novos concorrentes podem aparecer a qualquer momento em qualquer lugar do mundo, as empresas precisam inovar. E inovar constantemente – em termos de novos produtos, novas linhas de negócios e novos sistemas internos de otimização da eficiência e da lucratividade. A inovação não é privilégio das empresas de tecnologia. Setores como hospitalidade, comércio e serviços financeiros também estão sofrendo abalos. Empresas de serviços financeiros, por exemplo, enfrentam a competição com fundos administrados de forma passiva, por meio do atendimento de "robôs", que são atraentes para o público de *millennials*, enquanto a ascensão de criptomoedas e outras formas alternativas de pagamento estão ameaçando as grandes empresas do ramo.[53]

A inovação, portanto, é vital. Mas a abordagem que o seu avô usaria para inovar não vai dar conta. O método das últimas décadas tem sido quase sempre o mesmo: criar uma equipe de pesquisa e desenvolvimento ou outro grupo de trabalho encarregado de formular inovações. Não há nada errado em se colocar mentes brilhantes para trabalhar em atividades inovadoras. Mas tem ficado claro que buscar boas ideias em todas as partes e de todos os funcionários traz resultados melhores.

Precisamos hoje daquilo que chamamos de Inovação By All, ou seja, sugerida por todos. Isto é, colher ideias e percepções de funcionários de todos os níveis da organização. Na Quicken Loans, por exemplo, os membros da equipe de tecnologia usam até quatro horas por semana para se dedicarem a projetos pessoais e inovação, fora das suas responsabilidades cotidianas. A Quicken também oferece prêmios em um Pitch Day que envolve a organização inteira para incentivar as ideias dadas pelos colaboradores – uma prática mais associada com a área de tecnologia do que de finanças, mas que promove saídas inovadoras para os desafios enfrentados pela empresa no momento.[54] A empresa de design Ideo tem um método semelhante de cultivar inovações bem-sucedidas. Segundo a Ideo, as chaves para uma empresa inovadora e adaptável incluem "empoderamento" que impacta "todos os cantos da companhia" e colaboração nas funções de negócios, de modo a "abordar oportunidades e desafios de todos os ângulos".[55] Essas conclusões estão de acordo com o que pesquisas mostram sobre o poder de diversas perspectivas para gerar mudanças melhores.[56]

As nossas mais recentes pesquisas também apontam para o poder de uma cultura organizacional For All para a inovação e os resultados dos negócios. Usando uma sondagem entre os funcionários para chegar ao Trust Index, criamos um parâmetro para medir a Experiência de Inovação. São avaliados a extensão da participação dos colaboradores em atividades relacionadas à inovação, os comportamentos da liderança que promovem a experimentação e a inspiração dos funcionários no sentido de fazer a empresa evoluir. Os resultados são impressionantes. Quando examinamos centenas de empresas certificadas como Great Places to Work, percebemos que as dos 25% do topo no quesito Experiência de Inovação apresentavam um crescimento no faturamento mais de três vezes do que as dos últimos 25% (veja Figura 11). Em outras palavras, as organizações que conseguem promover uma cultura de Inovação By All largam na frente.

Também é importante lembrar o que pode acontecer hoje em dia quando não se cultiva um clima de Inovação By All. As boas ideias vão embora. Às vezes, pessoas com boas ideias criam a sua *start-up*, que pode até virar uma concorrente. A agilidade do trabalhador moderno, que passa de uma empresa a outra, significa que ele não precisa esperar a empresa achar que está pronta para a sua ideia – ele pode fazê-la acontecer em outro lugar. Então, como se executa uma estratégia de inovação mais descentralizada? Para começar, é preciso que os funcionários se sintam encorajados e inspirados para apresentarem as suas ideias. E isso acontece com maior facilidade em um clima de confiança. Emma Seppala, psicóloga da Stanford, encontrou uma cultura de confiança, não de medo, e incentiva a colaboração, construindo um ambiente de trabalho criativo. Se os funcionários têm medo de serem punidos, eles provavelmente se arriscarão menos, o que é essencial para a inovação.[57]

Figura 11
## Uma cultura de Inovação By All gera faturamento

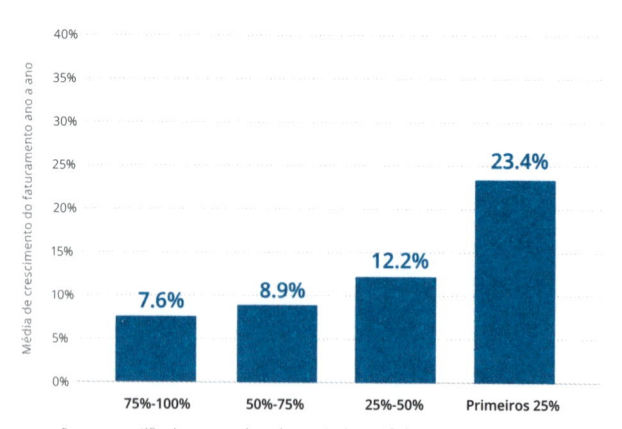

| Empresas certificadas ranqueadas pelos resultados na Eficácia Executiva, medida Trust Index | Média de crescimento do faturamento ano a ano |
|---|---|
| 75%-100% | 7.6% |
| 50%-75% | 8.9% |
| 25%-50% | 12.2% |
| Primeiros 25% | 23.4% |

**Fonte:** Análise do Great Place to Work

Mas as empresas de hoje têm de dar um passo além de uma cultura de confiança se quiserem atingir altos níveis de inovação. Para chegar a uma Inovação By All, as organizações têm de maximizar todo o seu potencial humano. Precisam criar uma cultura que é excelente For All: inclusiva, de alta confiança, em que todos tenham uma ótima experiência e participe do avanço da empresa.

Exemplos do mundo dos esportes ilustram bem isso. Em 2015, durante as finais da NBA, os Golden State Warriors estavam em busca de maneiras de lidar com LeBron James, estrela do ataque do Cleveland Cavaliers. Como dissemos no primeiro capítulo, uma ideia importante foi sugerida por um dos membros da equipe do treinador Steve Kerr. Pois o assistente Nick U'Ren propôs colocar o especialista em defesa Andre Iguodala no centro, no lugar de Andrew Bogut.[58] A ideia não foi muito convencional: deixou os Warriors sem o seu tradicional pivô grandalhão. Mas Kerr tentou, e foi recompensado. Iguodala ajudou a neutralizar James e ganhou o prêmio de jogador mais valioso ao final da série, quando o Golden State levou o título.

Durante o campeonato de futebol americano de 2017, os New England Patriots deram a maior reviravolta já vista na história do Super Bowl, o que se deveu muito por ouvirem a opinião dos jogadores em campo. "Fizemos alguns ajustes", disse o coordenador da defesa dos Patriots, Matt Patricia, depois do jogo. "Os Defensive Backs sempre nos dão um *feedback*. Acho que eles entendem do jogo em um nível que ninguém mais entende. Eles voltam e dizem: 'Olha, achamos que podemos fazer isso, talvez fazer um ajuste aqui', e foi o que fizemos."[59]

Esse tipo de inovação "de baixo para cima" que vemos no mundo dos esportes é a mesma de que as empresas precisam hoje. E é o que se consegue em um Great Place to Work For All.

### CRESCIMENTO FINANCEIRO

**Você também pode fazer a sua empresa crescer mais rapidamente. Muito mais rapidamente.**

Pode parecer conversa de maluco, mas a maioria dos líderes faz tudo que pode para aumentar o faturamento da empresa. Mas há uma arma secreta que muitos executivos esquecem de usar: o poder das pessoas. O poder das pessoas é obtido quando se incentiva todos os trabalhadores, sem exceção, a alcançar o seu potencial pleno, independentemente de quem sejam e de qual função desempenhem na organização. Como dissemos no primeiro capítulo, quando as empresas criam uma experiência de trabalho consistentemente ótima, elas veem o seu faturamento mais que triplicar. Esse crescimento extra vem das pessoas que estão dando o seu melhor ao trabalho, pensando em serviços novos e melhores em seu tempo livre e se esforçando – com um sorriso no rosto – para servir bem os clientes.

Em outras palavras, por meio do poder das pessoas, você pode aumentar a sua torta de faturamento.

Atualmente, isso é crucial, pois as empresas estão precisando de dinheiro. Vivemos em uma cultura turbulenta e, nas palavras dos pesquisadores da McKinsey, "ficando mais imprevisível".[60] Nesse clima, as organizações sem crescimento para gerar uma reserva financeira prudente correm sérios riscos. As empresas precisam dessa reserva para investir em novos produtos e serviços e para se preparar para as épocas de escassez. Empresas também devem desconfiar do hipercrescimento. Esse é um cálculo do "índice de crescimento sustentável", que se refere ao quão rapidamente se consegue crescer sem emprestar dinheiro.[61] As organizações podem enfrentar problemas quando se expandem de maneira que as expectativas pressionem os seus funcionários de tal forma que se torne doentia. Ou quando o rápido crescimento justifica maus comportamentos. É só observar o valor da Uber, "Sempre na Luta", combinado com o machismo de sua cultura e o foco no crescimento, e ver como contribuíram para um ambiente de trabalho tóxico e uma consequente reação por parte de clientes e investidores.

Ainda assim, um faturamento maior e uma reserva saudável de dinheiro são vitais para todas as empresas, sobretudo para Great Places to Work For All. O crescimento é necessário para ajudar as pessoas a se desenvolverem, para pagar salários justos e para mostrar-lhes respeito e gratidão na forma de eventos como celebrações coletivas. Este é um círculo virtuoso: o crescimento no faturamento ajuda a criar uma excelente experiência de trabalho para todas. E, investindo no poder das pessoas, as empresas têm resultados mais fortes.

## UMA NOVA ERA, UMA NOVA DEFINIÇÃO DE EXCELÊNCIA

O retrato de um excelente lugar para trabalhar marca uma mudança para nós. Não perdemos o foco na experiência dos funcionários, mas nos demos conta de que precisávamos expandir as nossas lentes.

Na economia que está se formando, na qual mais pessoas esperam ser incluídas e esperam mais das empresas, na qual a agilidade dos negócios é uma prioridade e na qual "corações contratados" são vitais para o sucesso, nós precisávamos atualizar a nossa definição de Great Place to Work.

Percebemos que precisávamos elevar o parâmetro. O que era bom o suficiente para ser "*great*" já não basta. As lacunas nas Melhores Empresas não são sentidas como boas por pessoas que vivenciam uma cultura mais ou menos. E não são boas para as organizações também. Então precisávamos adicionar a maximização do potencial humano à base da confiança. Também precisávamos chamar a atenção para a importância dos valores e da eficácia na liderança. E observe que inovação e crescimento financeiro é o que se conquista quando todas as peças estão no devido lugar. Ao pensar em Great Places to Work For All, pensamos no seguinte: organizações melhores para os negócios, melhores para as pessoas e melhores para o mundo.

Embora todos os seis elementos sejam vitais para o Great Place to Work For All, maximizar o potencial humano está no núcleo da nossa nova definição, pode definir o sucesso ou a falência da grandiosidade de uma empresa em uma economia emergente. Os nossos dados comprovam isso.

No próximo capítulo, exploraremos quão melhores são os resultados dos negócios quando uma organização é de fato excelente para todos; e como maximizar o potencial humano acelera o desempenho como um todo.

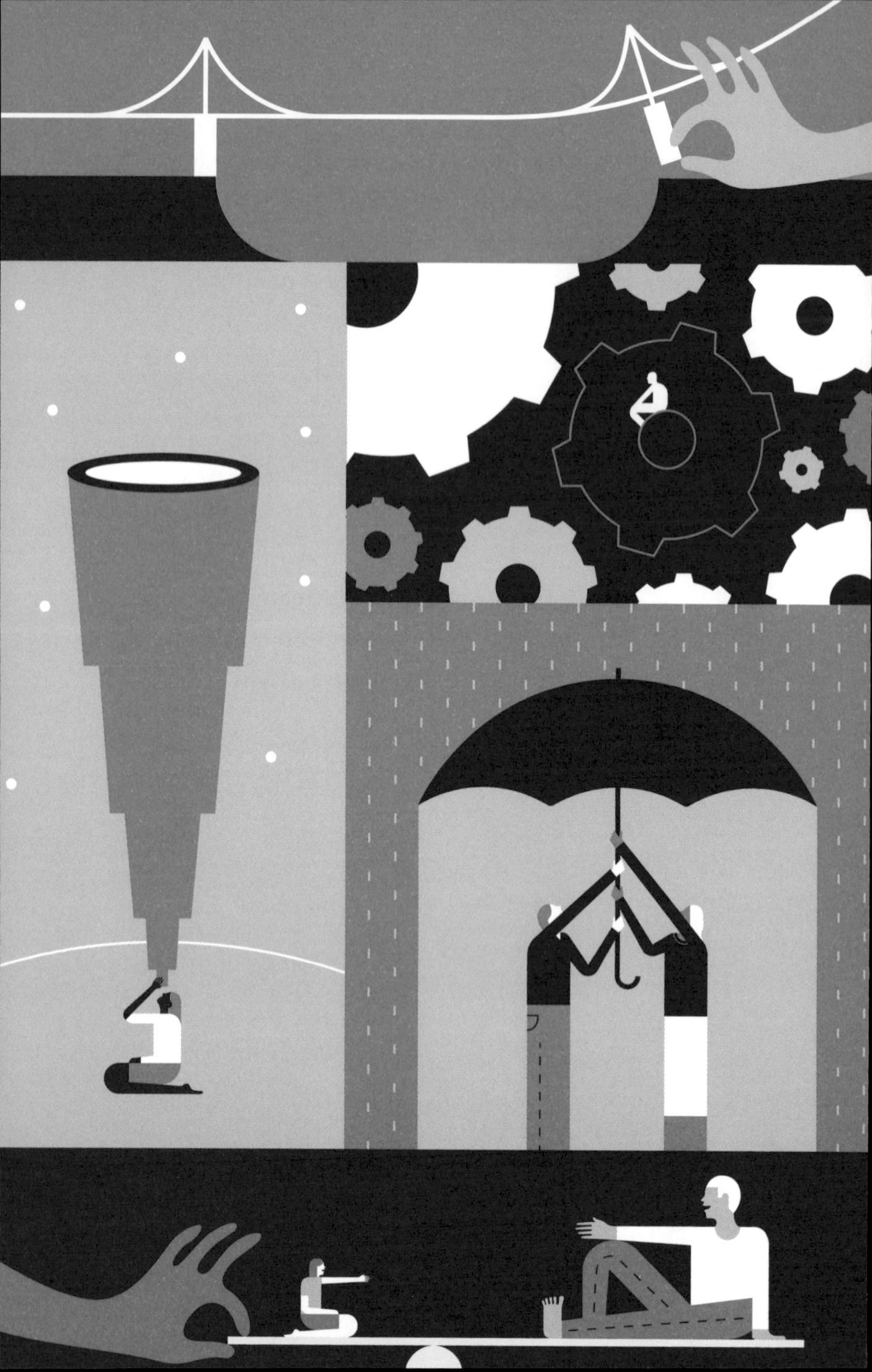

**CAPÍTULO 4**

# Maximizar o potencial humano acelera o desempenho

**Corrigir lacunas na experiência dos funcionários no ambiente de trabalho acelera o desempenho da empresa em termos de faturamento mais alto, melhor desempenho no mercado de ações e maior retenção.**

Como expomos nos capítulos anteriores, na economia emergente atual, as empresas são pressionadas a trazer o que há de melhor em seus funcionários para que possam sobreviver e prosperar. Todo mundo é importante em um clima de negócios definido por expectativas da parte de funcionários e clientes, tais como uma transparência radical, uma mudança rápida e a descentralização da tomada de decisões.

Para se dar conta do potencial total dos seus funcionários, é preciso que todos os funcionários desfrutem de uma excelente experiência de trabalho – independentemente de quem seja e do que faça na organização. Assim, todas as pessoas chegam ao trabalho inspiradas, prontas a colaborar, adaptar-se e aprender, dispostas a se dedicarem à empresa e à sua missão de avançar.

Em suma, as organizações estão encarando um imperativo de negócios para criar um Great Place to Work de maneira consistente. Infelizmente, a maioria ainda não atingiu esse objetivo. Até nas Melhores Empresas há lacunas na experiência dos funcionários.[62] Por "lacunas", queremos dizer que alguns trabalhadores têm uma experiência menos positiva do que outros, baseada em quem são e no que fazem para a empresa.

## DIMINUIR LACUNAS PARA ACELERAR O DESEMPENHO

Neste capítulo, abordaremos as lacunas no ambiente de trabalho relacionadas a determinados grupos demográficos – executivos e não executivos; mulheres e homens; *baby boomers* e *millennials*; brancos e minorias – e o impacto econômico de se incentivar o potencial total das pessoas desses grupos. Algumas falhas das empresas com relação a esses grupos se refletem no mercado de ações, na retenção de funcionários, na produtividade e na divulgação da marca. Em outras palavras, onde existem lacunas, está se perdendo dinheiro.

Tradicionalmente, a ideia de expandir a visão e incluir o potencial humano de todos os colaboradores não tem sido levada muito a sério por líderes organizacionais. Em vez disso, é dada uma grande ênfase na identificação e desenvolvimento de "altos potenciais". É claro que diferentes funcionários contribuem com menor ou maior valor para o sucesso da empresa. Mas no tipo de economia emergente que testemunhamos hoje, um ótimo desempenho exige que todas as pessoas da organização colaborem com energia, ideias e um sólido conhecimento das metas da empresa. Lembrando-se do membro da governança do Hyatt que se tornou o destaque da viagem do casal, ouvindo o que tinham a dizer, envolvendo-se com a situação e cantando para eles toda noite.

Aquele funcionário deu o máximo de si, injetando energia na empresa na forma de um excelente serviço ao cliente. E ele só pôde fazer isso porque o grupo Hyatt como um todo esforçou-se para eliminar as lacunas entre executivos e trabalhadores não executivos da empresa. Deu aos trabalhadores uma real autoridade para que tomem decisões quanto ao serviço ao cliente e, assim, os estimulou a se envolverem por completo no trabalho, criando uma cultura de reconhecimento de excelentes desempenhos.

É isso que Great Places to Work For All fazem em grande escala quando corrigem lacunas – ao maximizarem o potencial humano. Quando excelentes lugares para trabalhar envolvem todos, todos se destacam. Voltando aos Golden State Warriors e ao assistente do treinador, Nick U'Ren, a sugestão crucial dada por ele, que à época tinha 28 anos, para colocar em quadra Andre Iguodala na final de 2015, não foi um chute. U'Ren já havia expressado essa ideia em um jantar com a equipe, mas a recepção foi morna. Então ele fez mais pesquisas e estudou gravações do campeonato do ano anterior de LeBron James em campo. Ele viu uma estratégia militar similar que funcionou e convenceu o treinador-assistente Luke Walton a apoiá-lo na sugestão de colocar Iguodala. Assim, U'Ren e Walton mandaram uma mensagem de texto para o treinador-chefe Steve Kerr às 3h da manhã.[63]

Ou seja, U'Ren foi muito além da sua função usual. E essa ocorrência não pode ser isolada da cultura de respeito dos Warriors. "Nós temos uma equipe muito cooperativa. Não importa quem teve a ideia", diz Kerr.

Essas anedotas são apenas exemplos de evidências que mostram que ambientes equânimes maximizam o potencial humano e alcançam, por isso, bons resultados. Um estudo de 2015 feito pela empresa Bersin by Deloitte demonstrou que as empresas que focam em liderança e inclusão em suas estratégias ultrapassam as suas concorrentes em uma variedade de aspectos, entre os quais:

- 2,3 vezes mais fluxo financeiro por funcionário em um período de três anos;
- 1,8 vezes mais prontas para uma mudança;
- 1,7 vezes mais chances de serem líderes de inovação em seu mercado.[64]

A nossa pesquisa chegou a conclusões similares. Por exemplo, concluímos que Great Places to Work For All ultrapassam empresas do S&P 500 do mercado de ações consideravelmente.

Estudamos o desempenho de empresas de capital aberto que entraram para a lista das 100 Melhores da *Fortune* em 2017 na Bolsa de Valores, aplicando a elas a nossa nova metodologia For All. Como foi mencionado no primeiro capítulo, o ranking For All vai além do nível médio de confiança de uma empresa. Trata-se de uma medida composta por quão positiva e consistentemente os funcionários classificam a empresa em aspectos relacionados a inovação, eficácia na liderança e confiança, independentemente de quem sejam e do que façam na organização.

Criamos, então, um portfólio simulado de ações das empresas de capital aberto que seriam classificadas nas 100 Melhores pela nova metodologia For All e avaliamos o seu desempenho com relação ao índice S&P 500. Ao longo dos últimos três e cinco anos, as empresas de capital aberto que entrariam nas 100 For All ultrapassaram significativamente as do S&P 500 (veja Figura 12).

O rendimento anual médio dessas empresas ao longo dos últimos três anos foi de 51,4% – quase 50% melhor do que o das empresas listadas no S&P 500 ao longo do mesmo período.

As empresas de capital aberto da lista 100 For All se saíram ainda melhores no período de cinco anos. Com um impressionante rendimento anual de 146,4%, essas empresas ultrapassariam as do S&P 500 em 62%.

Figura 12
## **Great Places to Work For All batem S&P 500**

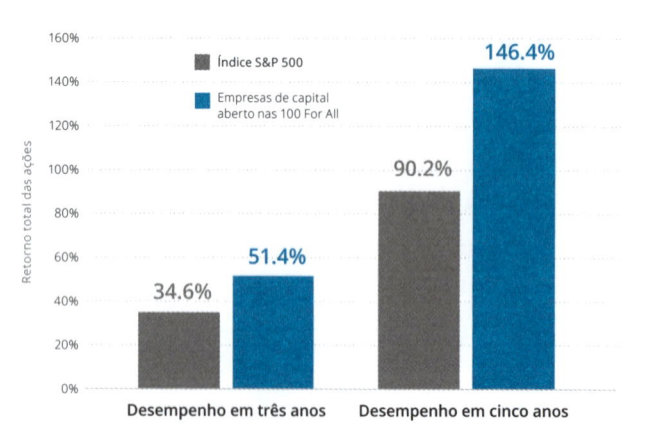

```
160%
                                                              146.4%
             ■ Índice S&P 500
140%
             ■ Empresas de capital
               aberto nas 100 For All
120%

100%                                          90.2%

 80%

 60%                      51.4%

 40%      34.6%

 20%

  0%
       Desempenho em três anos      Desempenho em cinco anos
```
Retorno total das ações

**Fonte:** Análise do Great Place to Work

Como mencionamos no primeiro capítulo, empresas For All também largam na frente no que diz respeito a rendimentos. Os primeiros 25% das melhores empresas segundo os critérios For All apresentam um aumento no faturamento três vezes maior do que as dos últimos 25% desse ranking. Também concluímos que Great Places to Work For All aumentam o seu faturamento mais rapidamente quando comparados com empresas que apresentam altos níveis de confiança *na média*.

A nossa mais recente pesquisa reafirma que um alto nível de confiança abastece, de modo geral, o crescimento, mas também que uma empresa For all acelera esse crescimento.

## DIFERENTES GRUPOS DE FUNCIONÁRIOS TÊM LACUNAS DIFERENTES PARA CORRIGIR

Esses achados gerais ilustram que é de extremo interesse da empresa que todos nela tenham uma ótima experiência. Onde há lacunas, há lugares em que o potencial humano está vazando para fora da empresa, diminuindo a sua força.

Nós nos dispomos a encontrar onde estão as lacunas entre diferentes grupos de funcionários, para que líderes saibam onde começar a focar a sua energia para corrigi--las. Fizemos isso observando os resultados da sondagem realizada nas empresas certificadas como Great Places to Work, das quais mais de 225 mil colaboradores foram entrevistados.

Devemos lembrar que essas empresas estão entre os melhores lugares para trabalhar dos Estados Unidos. Entre elas, ao menos sete de dez funcionários afirmam que a sua empresa é um excelente local para trabalhar. Todas elas têm níveis relativamente altos de confiança, orgulho e camaradagem. Mas um olhar mais profundo nos dados mostra que até nessas organizações a experiência de trabalho não é sempre consistente, e que as lacunas são relacionadas a características pessoais dos funcionários ou ao seu cargo.

Mais impressionantes foram as lacunas significativas que emergiram em áreas específicas das quatro categorias que já foram listadas: de gênero, geracional, étnico-racial e de nível do cargo. É interessante notar que as lacunas variaram em tipo de acordo com a categoria demográfica. Por exemplo, em média, até entre essas empresas, as mulheres não participam das decisões com o mesmo alcance com que homens participam. Funcionários provenientes de minorias sociais não vivenciam o mesmo nível de senso comunitário no trabalho quando comparados aos colegas brancos. Trabalhadores mais velhos não consideram o ambiente tão alegre, nem se sentem tão incluídos nas decisões, do que os mais jovens. Funcionários em cargos mais baixos não são tão valorizados, nem sentem que o seu trabalho tem significado, como os líderes geralmente sentem.

Se extrapolarmos esses resultados para outros países, as lacunas indicam potencial humano de milhões de pessoas desperdiçado, e faturamento não conquistado por milhares de organizações. Na verdade, de todos os aspectos do Great Place to Work For All, o potencial humano é o mais crucial – a área em que as empresas mais poderiam melhorar a sua performance. Isso não é mera retórica ou especulação. Começamos a recolher dados que quantificam as lacunas de experiência dos funcionários nessas empresas, medindo quanto elas podem ganhar se corrigi-las. Aqui está o que estamos aprendendo.

### LÍDERES X FUNCIONÁRIOS: É ÓTIMO SER DA REALEZA

De todas as lacunas no ambiente de trabalho, a maior é a entre funcionários de diferentes níveis hierárquicos. Em poucas palavras, quanto mais alto for o cargo que você ocupa dentro da organização, melhor a sua experiência no trabalho tende a ser.

Isso faz sentido intuitivamente. Afinal, executivos podem tomar decisões e ganham mais dinheiro. Mas as responsabilidades de um executivo, que incluem uma influência maior na tomada de decisões, assim como um salário mais gordo, têm outras implicações sobre a experiência de *todos* os funcionários, como o seu sentimento de que fazem diferença no trabalho, de que são valorizados e de que a empresa é justa. A habilidade dos executivos de gerir efetivamente as realidades de sua posição de poder se torna essencial na correção de lacunas e na criação de um ambiente de trabalho que seja excelente para todos, ou For All.

Esses achados também ilustram um ponto cego na visão de muitos executivos sobre o que se passa em suas empresas. A nossa pesquisa não aborda somente a experiência dos colaboradores, mas também acessa o que eles pensam que acontece na organização como um todo. Por exemplo, 81% dos executivos (contra 64% dos funcionários) relataram receber, *pessoalmente*, uma participação justa dos lucros da companhia. Esses números traduzem simplesmente um retrato coletivo da experiência de *cada* funcionário. Apesar disso, quando perguntamos aos participantes se "as pessoas lá são pagas de maneira justa pelo trabalho que fazem", a resposta vai além da experiência individual do funcionário, pois reflete as práticas da empresa como um todo, com relação a todos. Graças a essa questão, nós descobrimos um ponto cego na visão dos executivos. Enquanto 85% deles acreditam que as pessoas em sua empresa recebem salários justos pelo que fazem, esse número caiu 15%, indo para 70% entre os funcionários.

Esse dado sugere que executivos precisam ouvir melhor as pessoas de todos os níveis hierárquicos da empresa, porque eles nem sempre são conscientes dos problemas potenciais, lembrando-se de que a experiência dos funcionários influencia na produtividade, no comprometimento e na inovação.

## LACUNAS ENTRE CARGOS: JUSTIÇA, COMUNICAÇÃO E TRABALHO SIGNIFICATIVO

A nossa pesquisa mostrou que a lacuna mais proeminente entre cada nível hierárquico – executivos (entre os quais os diretores e líderes de nível C), gerentes (entre os quais gerentes seniores, gerentes de departamento e supervisores) e funcionários não gerentes, ou colaboradores individuais – é a de justiça. Isso abrange as percepções de salários justos, participação nos lucros, promoções justas, percepções de favoritismos e acesso a denúncias internas tratadas de maneira justa, entre outros.

Outra lacuna frequente que emergiu diz respeito ao sentimento dos colaboradores de que não são incluídos nas decisões que os afetam. Funcionários não gerentes e gerentes são igualmente menos propensos do que executivos a acreditar que são envolvidos nas decisões que afetam o seu trabalho ou o ambiente, ou que os gerentes genuinamente buscam as suas sugestões e ideias e respondem a elas.

Também notamos uma lacuna relevante com relação aos gerentes de nível médio, especificamente. Eles são muito menos propensos do que executivos a acreditarem que líderes deixam as suas expectativas claras, mantêm as pessoas informadas sobre questões importantes e mudanças e desempenham um bom trabalho na atribuição e coordenação de recursos.

Juntas, essas lacunas na comunicação e na tomada de decisões são uma má notícia para a organização. Gerentes de nível médio, que são peças fundamentais entre os executivos e os funcionários, não são bem informados, não podem efetivamente conectar as suas equipes ao eixo maior que conduz as decisões, ou às metas e estratégias gerais da empresa. Funcionários de todos os níveis sentem que os líderes não os procuram ativamente para ouvir suas sugestões e ideias, sobretudo quanto a decisões que os afetam diretamente, e tendem a achar que as decisões acontecem "a" eles, e não que puderam participar delas. Colaboradores também podem ter informações importantes do dia a dia da empresa que ajudam líderes a entender como uma mudança pode afetar as operações ou os clientes. Mas estes, com frequência, são deixados no escuro, incapazes de realmente apoiar as metas da empresa.

É claro que os líderes não têm como incluir todos os funcionários em todas as decisões, ou mantê-los informados a cada mudança, a todo momento. Entretanto, mitigar essas lacunas é importante. É muito mais difícil avançar como empresa quando os colaboradores são excluídos das decisões, que acabam os pegando de surpresa, ou se não têm informações suficientes sobre os seus trabalhos. Quando líderes se esforçam para construir confiança, incluindo os seus funcionários, estes tendem a dar a esses líderes o benefício da dúvida quando realmente lhes falta informação, e partem do princípio de que eles devem ter boas intenções.

Entre funcionários que não desempenham cargos de liderança, especificamente, lacunas também apareceram. Eles apresentam resultados mais baixos quanto ao sentimento de que o seu trabalho tem significado, quando comparado ao de seus gerentes, que demonstram genuíno interesse neles como pessoas, não apenas como profissionais, e ao de que têm acesso a oportunidades iguais de reconhecimento. Se combinarmos essas lacunas com aquelas observadas antes, no que diz respeito à percepção de injustiça quanto a salários, participação nos lucros e promoções, assim como de exclusão do processo de tomada de decisões e de compartilhamento de ideias, chegamos a uma experiência muito menos recompensadora para funcionários que não se encontram em cargos de gerência ou liderança – uma experiência que pode fazê-los se sentir mais como uma peça substituível do que como um elemento valioso de uma equipe.

Novamente, essas lacunas têm implicações prejudiciais para os negócios. Por exemplo, a nossa pesquisa mostra que, entre funcionários *millennials* especificamente, aqueles que relatam que os seus gerentes têm um sincero interesse neles são oito vezes mais propensos a demonstrar qualidades relacionadas a prontidão à mudança, agilidade e inovação.

## O VALOR DE DIMINUIR LACUNAS RELACIONADAS A NÍVEL HIERÁRQUICO

Alguns podem argumentar que essas lacunas são inevitáveis, que são a ordem natural das coisas. E que talvez seja impossível eliminar completamente do ambiente de trabalho as diferenças entre tomadores de decisão que ficam no topo da organização e outros que trabalham nela. Mas os nossos dados mostram que algumas empresas são muito melhores na criação de uma experiência consistente para o executivo C-level da cobertura no 70º andar passando pelo funcionário em seu cubículo no 20º andar, até os trabalhadores da caldeira, no subsolo. E essas empresas estão largando na frente das outras.

Figura 13
## Corrija as lacunas entre líderes e funcionários e veja o faturamento subir às alturas

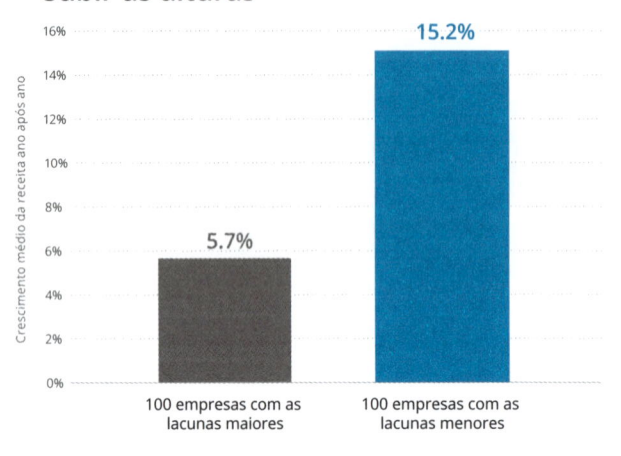

*Gráfico de barras — Crescimento médio da receita ano após ano:*
- 100 empresas com as lacunas maiores: 5.7%
- 100 empresas com as lacunas menores: 15.2%

**Fonte:** Análise do Great Place to Work

A Figura 13 mostra o aumento no faturamento entre companhias com grandes e pequenas lacunas entre líderes (o que inclui executivos e gerentes de todos os níveis) e funcionários. Esses resultados foram tirados de um estudo com várias centenas de empresas certificadas como Great Places to Work de diferentes tamanhos, setores e localizações.

Os primeiros dados representam as 100 empresas desse grupo com as maiores lacunas, segundo o nosso Trust Index, entre líderes e funcionários. Os segundos dizem respeito a empresas com lacunas menores.

Como mostra a Figura 13, as empresas com lacunas menores entre líderes e não líderes testemunharam um crescimento no faturamento quase três vezes maior do que empresas com um desnível mais pronunciado na experiência entre os dois grupos.

Figura 14

**Retenção, representação positiva da marca e produtividade aumentam conforme a lacuna líder-funcionário diminui**

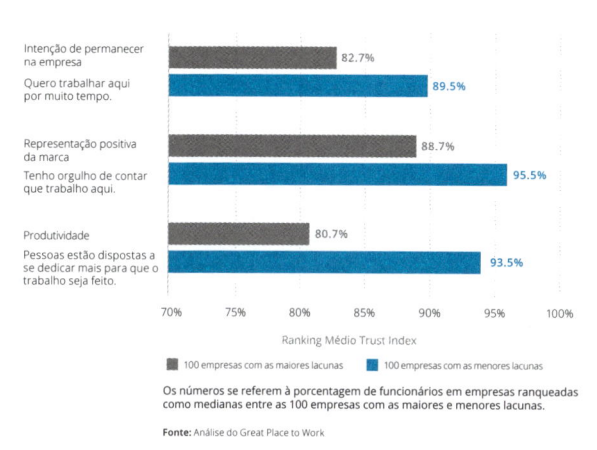

| | 100 empresas com as maiores lacunas | 100 empresas com as menores lacunas |
|---|---|---|
| Intenção de permanecer na empresa / Quero trabalhar aqui por muito tempo. | 82.7% | 89.5% |
| Representação positiva da marca / Tenho orgulho de contar que trabalho aqui. | 88.7% | 95.5% |
| Produtividade / Pessoas estão dispostas a se dedicar mais para que o trabalho seja feito. | 80.7% | 93.5% |

Ranking Médio Trust Index

Os números se referem à porcentagem de funcionários em empresas ranqueadas como medianas entre as 100 empresas com as maiores e menores lacunas.

**Fonte:** Análise do Great Place to Work

Um crescimento de faturamento acelerado não é o único benefício de uma experiência mais equânime entre os diferentes funcionários em diferentes níveis. Também percebemos uma maior produtividade, mais força para a marca e uma intenção de permanecer na empresa que mais facilmente corrige a lacuna entre os altos e baixos cargos da organização. Por exemplo, na Figura 14, entre as 100 empresas com as menores lacunas entre líderes e funcionários, quase 94% da mão de obra relata estar disposta a se esforçar além do comum para que o trabalho seja feito.

Isso se compara a 81% de empresas com as maiores separações entre as camadas de cima e de baixo. E a quase 96% dos funcionários nas empresas com as menores lacunas entre gerência e mão de obra em cargos de não liderança que se orgulham de contar aos outros sobre o seu trabalho, contra 89% nas empresas com as lacunas maiores.

Embora todos os números pareçam fortes, ainda assim são lacunas, e esses sete pontos na porcentagem impactam a representação da marca e se traduzem em um vazamento desnecessário – que se torna exacerbado em uma era em que as pessoas expõem a vida nas redes sociais. O desempenho sofre quando uma porção menor dos seus funcionários fala com orgulho da marca. Combine essa oportunidade perdida com uma rotatividade maior do que o necessário e com menos funcionários dando tudo de si: o impacto desse vazamento se torna evidente.

As organizações com lacunas menores entre líderes e funcionários estão ultrapassando as outras. Esses achados encontram eco em outras pesquisas sobre a experiência no local de trabalho e sua relação com os resultados nos negócios. Entre os aspectos abordados por nosso Trust Index, está o "comprometimento do funcionário" – tipicamente definido como o desejo desse funcionário de permanecer na organização e de ir além do comum para fazer bem o seu trabalho. Outros estudos mostram que o nível de comprometimento aumenta conforme aumenta o cargo do funcionário, que o comprometimento da maioria é baixo, e que um comprometimento maior melhora vários aspectos do negócio.[65] As nossas conclusões sobre uma equidade maior impulsionando os negócios encontram respaldo, ainda, em uma quantidade cada vez maior de pesquisas sociológicas. Como discutiremos no sexto capítulo, a evidência sugere que a iniquidade prejudica o crescimento econômico de países como um todo.[66] O desfecho é o mesmo: tratar uma excelente experiência no trabalho como um privilégio dos cargos mais seniores é um negócio arriscado. Crie uma experiência mais igualitária no trabalho entre líderes e funcionários e veja o desempenho de sua empresa decolar.

## HOMENS E MULHERES: É ÓTIMO SER DA REALEZA – AINDA MAIS QUANDO SE É O REI

Se você tem uma filha, preste atenção especial a esta seção. Porque a verdade é que, embora seja bom fazer parte da realeza – formada pelos executivos no topo da empresa –, os nossos dados mostram que ainda é muito melhor ser rei do que rainha. E, a menos que líderes de todo o mundo transformem em prioridade que mulheres tenham uma experiência mais igualitária no trabalho, não há muita esperança para as meninas de hoje ao entrarem no mercado de trabalho.

Desníveis salariais entre gêneros dominaram as manchetes nos últimos anos, e não à toa: é de conhecimento geral que mulheres ganham oitenta centavos a cada dólar que os homens ganham.[67] E a nossa pesquisa revelou que a lacuna salarial é só a ponta do iceberg.

## LACUNAS NO ACESSO À LIDERANÇA: SER TRATADA COMO UMA COLABORADORA VALIOSA E JUSTIÇA

Em média, mulheres e homens em números similares descrevem ter uma experiência positiva no trabalho nas empresas que estudamos. Apesar disso, quando examinamos melhor os resultados, descobrimos lacunas significativas em áreas-chave. A começar, homens são mais propensos do que mulheres ao descreverem que têm uma linha direta de comunicação com gerentes e líderes. Isso inclui serem capazes de perguntar a gerentes algo sensato e receberem uma resposta clara, além de serem envolvidos nas decisões e de um sentimento geral de que os líderes são acessíveis.

Os nossos achados nas pesquisas refletem o que pesquisas recentes de gênero, autoridade e comunicação em organizações mostram. Sheryl Sandberg, executiva do Facebook, e o escritor Adam Grant sintetizaram um pouco de seu conhecimento sobre esse tópico em uma série de artigos no *New York Times*. Sandberg e Grant observaram que mulheres em empresas não apenas são interrompidas quando estão falando, como também são julgadas como agressivas demais por tentarem ser ouvidas. "As mulheres que se preocupam que, se 'falarem demais', serão menos queridas não são paranoicas", escreveram. "Com frequência, elas estão certas."[68]

Homens também tendem a ser mais reconhecidos e recompensados por seu trabalho – e não apenas no sentido salarial. Encontramos grandes lacunas entre a percepção de homens e mulheres no que diz respeito a justiça salarial, promoções justas e oportunidades iguais de reconhecimento.

Por fim, mulheres são mais propensas a vivenciar uma experiência, de modo geral, mais parcial e injusta no ambiente de trabalho. Não apenas tendem a perceber o favoritismo e o tratamento injusto relacionado ao gênero, como também reportam que têm menos acesso a processos de denúncias internas. Funcionários de diversas empresas certificadas como Great Places to Work compartilharam conosco comentários que captam a maneira como o machismo persiste até em um excelente lugar para trabalhar:

> "Muitos cargos seniores são ocupados por homens que parecem ter origens parecidas, e seus 'adjuntos' são mulheres. Em reuniões, usualmente é dado espaço para que os homens expliquem a sua 'visão' ou estratégia geral em vez de um elemento operacional ou tático."

> "Eu sinto que as mulheres são tratadas de maneira diferente na liderança. Até estagiários temporários perceberam isso. Homens falam por cima das mulheres, parece que podem falar e

fazer o que quiserem, sem grandes repercussões... O velho clube de meninos. É difícil ser uma líder por aqui."

"Há mulheres ao redor do nosso Sr. Liderança. Porém, observando a quantidade de diplomas que elas tiverem de acumular, parece que precisaram se esforçar em dobro para provar que eram capazes. Pouquíssimos homens possuem esse nível de educação."

Figura 15
## A lacuna de gênero alarga-se no topo

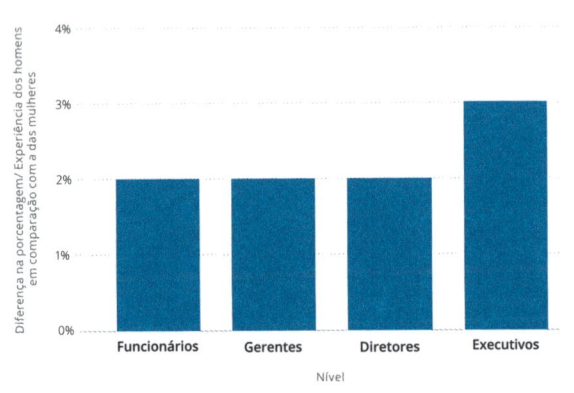

| Nível | Diferença na porcentagem / Experiência dos homens em comparação com a das mulheres |
|---|---|
| Funcionários | 2% |
| Gerentes | 2% |
| Diretores | 2% |
| Executivos | 3% |

Nossa pesquisa, feita com mais de 215 mil funcionários (entre os quais 1.700 executivas e 3.200 executivos), concluiu que a maior lacuna entre homens e mulheres se concentra no nível executivo.

**Fonte:** Análise do Great Place to Work

Esses comentários mostram algo que recentemente percebemos a respeito de mulheres e homens conforme eles sobem na hierarquia da empresa: a lacuna de gênero se alarga no topo. Há uma diferença entre a experiência geral de homens e mulheres: em todos os níveis da organização, e ambos apresentam uma experiência progressivamente melhor conforme chegam a níveis mais altos de gerência. Mas a lacuna entre os sexos é maior entre executivos e cargos de nível C, de acordo com a pesquisa que fizemos para preparar a lista de Melhores Empresas para Mulheres em 2017 (veja Figura 15).

Algo parece mudar quando se chega àquele nível em que o ar é mais rarefeito, pois executivas têm experiências significativamente diferentes das dos seus pares. Essa descoberta particular encontra eco em um artigo de Susan Chira publicado no *New York Times*, sobre os desafios que mulheres enfrentam ao chegarem ao topo de organizações. A falta de mulheres CEOs não tem a ver com o processo de seleção apenas, mas com "solidão, competição e barreiras profundamente enraizadas", de acordo com o texto.[69]

Essas experiências se refletiram na nossa pesquisa para a lista de Melhores Empresas para Mulheres. Descobrimos que a lacuna nas percepções de favoritismo entre homens e mulheres era maior no nível executivo. Também assim era a lacuna nas percepções de clima psicologicamente saudável. Enquanto 80% das executivas classificaram o seu ambiente de trabalho como psicológica e emocionalmente saudável, 87% dos homens o classificaram assim.

O resultado disso é que as organizações estão dilapidando o potencial em seu nível executivo. Isso se dá, em parte, devido ao menosprezo pela experiência de mulheres executivas, mas também detém mais mulheres de chegarem a cargos de CEO. Pesquisas mostram que organizações lideradas por mulheres ultrapassam as suas concorrentes.[70] Mas muitas empresas, por meio de um clima menos justo ou acolhedor para mulheres ocuparem cargos "C-level", estão bloqueando os benefícios da liderança feminina.

## EQUILÍBRIO ENTRE VIDA PROFISSIONAL E PRIVADA NÃO É ASSUNTO DE MULHER

Outra descoberta interessante da nossa pesquisa foi a lacuna que não apareceu entre homens e mulheres: equilíbrio entre vida profissional e privada. Embora seja realmente importante para mulheres, esse equilíbrio parece ser tão importante quanto para homens. Isso não foi surpresa para nós, porque já havíamos observado a mesma coisa quando pesquisamos a lista de 2016 de 100 Melhores Empresas para Mulheres.

Mas as corporações americanas e o público em geral continuam a definir a flexibilidade do local de trabalho e o equilíbrio como algo para funcionárias – sobretudo para mães. Ao tornar o equilíbrio entre vida profissional e privada um assunto de mulher, o prejuízo é duplo: maquia outras questões nas quais existem uma real disparidade de gênero e negligencia o fato de que o equilíbrio entre vida profissional e privada *também* é uma preocupação dos homens.

## O VALOR DE CORRIGIR AS LACUNAS DE GÊNERO

Como vimos com as lacunas de nível do cargo, também há benefícios em se corrigir as lacunas de gênero. Em geral, quando as lacunas entre os gêneros diminuem, observamos um aumento na produtividade, divulgação positiva da marca e retenção dos funcionários, o que faz sentido. Se as mulheres compõem metade da mão de obra de uma empresa, é claro que esta terá um desempenho melhor se elas tiverem acesso melhor a informações, puderem contribuir com ideias melhores e se sentirem igualmente valorizadas por essas contribuições.

Quanto à questão da retenção, especificamente, vimos que as mulheres são três vezes mais propensas a querer ficar com a empresa se a gerência as envolver nas decisões que afetam o seu trabalho, e se puderem fazer perguntas à gerência e receber respostas claras. Também são quatro vezes mais propensas a querer permanecer na empresa se acreditarem que a gerência é acessível e aberta ao diálogo.

No que diz respeito à justiça salarial, podemos olhar para um exemplo da Salesforce sobre como corrigir lacunas de gênero traz recompensas. Como foi mencionado no primeiro capítulo, o CEO da Salesforce, Marc Benioff, e a sua equipe investiram três milhões de dólares em 2015 para corrigir lacunas de gênero. Essa ação, em conjunto com outros esforços para fazer com que todos os funcionários se sentissem valorizados e incluídos, levou a excelentes resultados.

- Em 2014, 84% das mulheres na Salesforce sentiam que seus pagamentos eram justos, enquanto 91% dos homens sentiam o mesmo. Em 2016, a porção de mulheres que achavam seu salário justo subiu para 90%.
- O foco no alinhamento da situação feminina na empresa não fez com que os homens se sentissem negligenciados – 91% dos homens continuaram a acreditar que os pagamentos eram justos.
- Para ambos os gêneros, os níveis de orgulho e de representação positiva da marca subiram um pouco, de modo que 97% tanto dos homens quanto das mulheres se sentiam orgulhosos de contar sobre o seu trabalho na Salesforce.
- A porcentagem de funcionárias que declaram querer permanecer na Salesforce em longo prazo também subiu de 85% em 2015 para 93%.

A Salesforce continua a trabalhar nessa questão. Em 2017, a empresa conduziu outra avaliação, desta vez maior, sobre equidade salarial e de bônus. Também cobriu diferenças de salário não apenas no que concerne ao gênero, mas também a etnia e raça nos Estados Unidos. Dos funcionários, 11% receberam ajustes com base nessa segunda avaliação promovida pela empresa, e a Salesforce gastou cerca de outros três milhões de dólares para ajustar diferenças inexplicáveis nos pagamentos.

"A necessidade de outro ajuste denota a natureza da equidade salarial – é um alvo móvel, sobretudo em empresas em ascensão de setores competitivos", escreveu, em 2017 no seu blog, a vice-presidente justificando o sucesso dos funcionários da Salesforce. "Por isso, precisa ser sempre monitorada e cuidada. A Salesforce continua a focar na equidade, na diversidade e na inclusão em todos os níveis, e nós planejamos revisar os pagamentos com frequência."[71]

Esse compromisso de pagar salários justos caminhou de mãos dadas com os resultados dos negócios da Salesforce. A empresa tem crescido mais rapidamente que as rivais e, à época da escrita deste livro, dominava a área de gestão do atendimento ao cliente, com uma fatia de mercado quase duas vezes maior do que a sua concorrente mais próxima.[72]

## MINORIAS ÉTNICO-RACIAIS COMPARADAS A FUNCIONÁRIOS BRANCOS

A área de diversidade e inclusão (D&I) emergiu e logo se tornou um dos assuntos mais quentes do mundo dos negócios nos últimos anos. Esse campo se refere, em grande parte, ao tratamento justo de minorias e organizações étnico-raciais. Uma atenção maior dada à igualdade étnico-racial no mundo do trabalho talvez tenha algo a ver com a quantidade de pesquisas a respeito das vantagens da diversidade para os negócios. Também pode estar ligada ao clima polarizado dos Estados Unidos no momento, com extremistas se manifestando mais, o que gerou uma manifestação, também, da parte de líderes de vários setores sociais, inclusive industrial.

De qualquer forma, muita da atenção dada à diversidade na organizacional se manteve focada na representatividade de diferentes etnias. A nossa pesquisa sugere que o diálogo tem de ser mais profundo. Percebemos que não é suficiente observar nas estatísticas quantos negros, latinos, asiáticos e pessoas de outras cores e pertencentes a outras etnias uma empresa tem. É vital também explorar o tipo de experiência que esses funcionários estão vivenciando em comparação com funcionários brancos. Essas experiências vão revelar as raízes das lacunas no ambiente de trabalho e possibilitar decisões práticas para criar situações mais consistentes para os funcionários. Fazer isso contribui para uma sociedade mais igualitária e é uma estratégia inteligente: quando as organizações corrigem lacunas entre grupos étnico-raciais, seu desempenho melhora.

## LACUNAS-CHAVE DE JUSTIÇA, NÍVEL DE RESPONSABILIDADE E DE ACOLHIMENTO NA COMUNIDADE

De modo geral, no nosso estudo, os funcionários que se identificaram como pertencentes a minorias étnico-raciais têm uma experiência menos positiva do que os seus colegas brancos em áreas-chave relacionadas ao senso de justiça, como promoções, salários e tratamento independentemente da cor e da etnia, enquanto brancos são muito menos propensos a perceber racismo no ambiente de trabalho. Também descobrimos outras áreas nas quais minorias não desfrutavam de uma experiência de trabalho tão boa quanto funcionários brancos.

Uma das grandes lacunas entre grupos raciais, em particular, tem a ver com a maneira com que colaboradores sentem que as pessoas se importam umas com as outras na empresa, com as minorias se mostrando significativamente menos propensas a achar que fazem parte de uma comunidade acolhedora. Essa disparidade foi ecoada em duas outras diferenças relevantes: pessoas se sentirem acolhidas quando são transferidas de unidade e a contratação por parte da gerência de pessoas que se encaixam bem no ambiente. Nesse quadro, menos funcionários provenientes de minorias sentem um senso de acolhimento na comunidade quando comparados aos seus colegas brancos.

O que é interessante sobre essa percepção das empresas certificadas como Great Places to Work é que elas são definidas, em parte, por serem comunidades acolhedoras. Pode ser surpreendente para os líderes dessas empresas saberem que há colegas que não desfrutam de suas mesmas experiências devido a diferenças étnico-raciais. Uma comunidade sentida como acolhedora pelo grupo branco dominante pode não ser, de fato, acolhedora para todos.

Outra lacuna relevante é que minorias são menos propensas do que funcionários brancos a acreditar que lhes é confiada responsabilidade demais (84%, contra 90% entre os brancos).

Coletivamente, essas lacunas relacionadas a questões étnico-raciais sugerem que, assim como mulheres, minorias podem se sentir como cidadãos de segunda classe no ambiente de trabalho. Sentem um tratamento menos justo, têm menos oportunidades de demonstrar o seu valor e não são tão acolhidas pela comunidade quanto os seus colegas. E, embora essas sejam as lacunas primárias que localizamos, é importante observar que funcionários brancos mostraram uma experiência mais positiva do que os provenientes de minorias em 56 das 58 questões do nosso Trust Index, com duas questões empatadas. Fica claro, portanto, que, até nas Melhores Empresas, pessoas negras e de outras etnias têm uma experiência consistentemente menos positiva.

## O VALOR DE CORRIGIR AS LACUNAS RACIAIS

Então, além da óbvia razão moral para fazer isso, por que uma empresa deveria se esforçar para corrigir lacunas raciais?

A começar, a porção da mão de obra que se sente menos cuidada do que as outras atrapalha o crescimento. Alguns leitores podem duvidar que esse aspecto *soft* possa ter grandes implicações para os negócios. Mas também concluímos que funcionários que se sentem acolhidos pela comunidade no trabalho são um dos fatores-chave para um desempenho acima do usual em empresas pequenas e médias. Em particular, quando funcionários em culturas de alta confiança se sentem acolhidos no ambiente de trabalho, eles são 44% mais propensos a trabalharem em uma empresa com faturamento acima da média.[73]

Similarmente, lacunas raciais no que diz respeito à justiça e a níveis de responsabilidade prejudicam os resultados nos negócios. Funcionários são menos propensos a ficar completamente envolvidos ou produtivos se perceberem que estão em um ambiente desigual, no qual eles têm menos chance de assumir um papel importante.

Figura 16
## Corrija lacunas étnico-raciais e aumente o faturamento

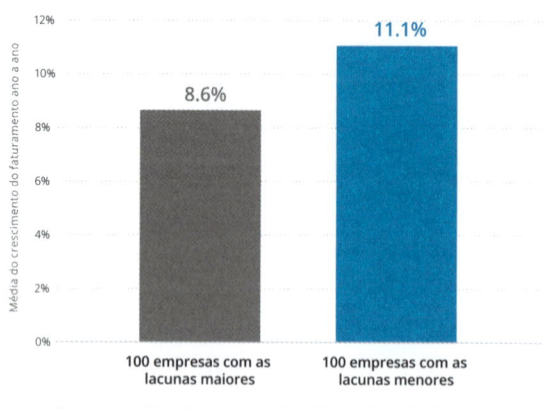

[Gráfico de barras — Média do crescimento do faturamento ano a ano:
- 100 empresas com as lacunas maiores: 8.6%
- 100 empresas com as lacunas menores: 11.1%]

Empresas que corrigiram as lacunas entre a experiência de brancos e funcionários de minorias étnico-raciais cresceram cerca de 30% mais.

**Fonte:** Análise do Great Place to Work

Os números comprovam essa análise. Em nosso exame das companhias certificadas como Great Places to Work, concluímos que as cem entre elas que apresentam lacunas maiores entre a experiência de funcionários brancos e de minorias tiveram um faturamento significativamente menor do que as cem com lacunas menores. Como mostra a Figura 16, as empresas com as maiores lacunas tiveram um crescimento de 8,6%, enquanto as dos primeiros 25% tiveram um crescimento de 11,1%. Em outras palavras, as empresas com a experiência mais consistentemente positiva entre minorias e funcionários brancos divulgaram um aumento de faturamento quase um terço maior no mesmo período.

Figura 17
**Retenção, representação da marca e produtividade aumentam conforme as lacunas étnico-raciais diminuem**

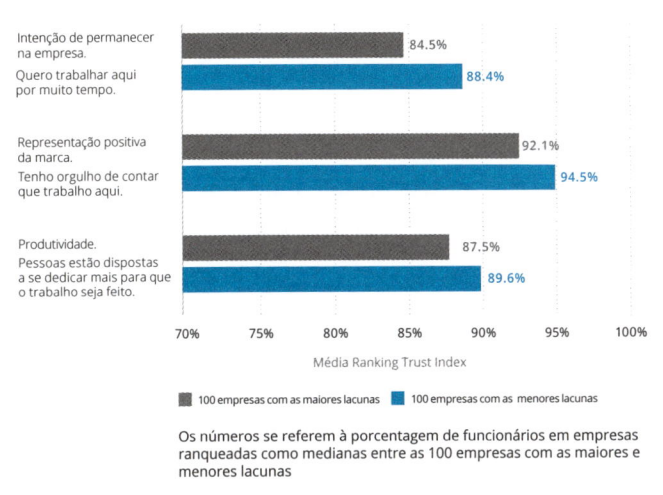

| | |
|---|---|
| Intenção de permanecer na empresa. | 84.5% |
| Quero trabalhar aqui por muito tempo. | 88.4% |
| Representação positiva da marca. | 92.1% |
| Tenho orgulho de contar que trabalho aqui. | 94.5% |
| Produtividade. | 87.5% |
| Pessoas estão dispostas a se dedicar mais para que o trabalho seja feito. | 89.6% |

Média Ranking Trust Index

■ 100 empresas com as maiores lacunas   ■ 100 empresas com as menores lacunas

Os números se referem à porcentagem de funcionários em empresas ranqueadas como medianas entre as 100 empresas com as maiores e menores lacunas

**Fonte:** Análise do Great Place to Work

E não para aí. Também observamos que a produtividade dos funcionários, a representação positiva da marca e a intenção de permanecer na empresa também crescem quando as lacunas raciais diminuem (veja Figura 17).

Como já mencionamos, muitos estudos anteriores já haviam demonstrado que equipes demograficamente diversas melhoram o desempenho dos negócios.[74] Mas a nossa pesquisa sobre faturamento, produtividade, representação positiva da marca e intenção de permanecer na empresa dá um passo além. Indica que a *experiência relativa* de minorias étnico-raciais – não apenas a sua mera presença – afeta os resultados. Como pessoas negras e de outras minorias se sentem no trabalho é importante, comparando-se à experiência dos funcionários brancos. Quando uma experiência positiva é compartilhada igualitariamente por todos os grupos étnico-raciais, a empresa como um todo se beneficia.

Não é a primeira vez em que observamos isso em nossos dados. Em 2016, descobrimos que as empresas mais inclusivas desfrutavam de um faturamento anual 24% maior do que o das suas concorrentes.[75] E, como foi dito no primeiro capítulo, os funcionários sentirem uma experiência genuína de inclusão – como é medida em sondagens consistentes, que levam em consideração critérios como tratamento justo e ambiente acolhedor – é um indicativo melhor do aumento do faturamento do que simplesmente a contagem de indivíduos de grupos minoritários.

Organizações não só ganham muitos benefícios quando têm um ambiente de diversidade, mas também quando criam um excelente lugar para trabalhar para pessoas de todas as cores.

## LACUNA GERACIONAL: GERAÇÕES DIFERENTES PODEM COMPOR UMA EXCELENTE EMPRESA

Muito pode ser feito com base nas diferenças geracionais. Mas um achado surpreendente de um estudo com as candidatas a 100 Melhores Empresas é que as três gerações principais – *baby boomers* (funcionários nascidos entre 1946 e 1964), a Geração X (1965 e 1980) e *millennials* (de 1981 para cá) – reportaram experiências similares nos aspectos principais que definem uma empresa como um excelente lugar para se trabalhar. De cada grupo, 87% dos funcionários descreveram a sua empresa como um Great Place to Work sempre ou quase sempre. Essa é a prova da habilidade que as Melhores Empresas têm de criar uma experiência consistente entre os três grupos – mesmo que os pontos de vistas desses colaboradores sejam diferentes, já que se encontram em diferentes estágios da vida. Também diz muito sobre como uma base de confiança, assim como orgulho e camaradagem, produz uma excelente experiência de trabalho independentemente da idade dos seus funcionários.

Dito isso, nós encontramos, sim, diferenças notáveis entre os grupos mencionados.

## LACUNAS GERACIONAIS: PROPÓSITO E ORGULHO

Não é de se surpreender que as maiores lacunas encontradas tenham sido entre *millennials* e *baby boomers*. Mas uma das lacunas que podem ser surpreendentes – dada a atenção que os *millennials* recebem por quererem trabalhos significativos – é que *baby boomers* são mais propensos a ter um senso de propósito e orgulho no trabalho do que os seus colegas mais jovens. Mais especificamente, *baby boomers* são mais propensos que *millennials* a considerar que o seu trabalho possui um significado especial, que eles fazem diferença para a empresa e que gostam da maneira como a companhia contribui para a comunidade.

A "lacuna do propósito" talvez tenha algo a ver com as altas expectativas dos *millennials* quanto ao significado de seu trabalho. Embora todas as pessoas desejem e precisem de um senso de propósito no trabalho, *millennials* são conhecidos por priorizarem, mais do que os seus colegas mais velhos, o propósito acima da estabilidade e do salário.[76] Pode ser, também, que as empresas não estejam conseguindo explicar, aos trabalhadores mais jovens, a sua missão, valores e de que forma o seu trabalho se conecta com as metas gerais da organização.

Seja qual for a causa exata, outra pesquisa que conduzimos sugere que esse déficit de propósito se relaciona com o risco maior na retenção de *millennials*. O propósito, descobrimos, é um componente-chave na retenção de funcionários.[77]

Também descobrimos áreas em que os *millennials* são mais propensos a ter uma experiência melhor do que os *baby boomers*. Estes primeiros têm mais facilmente a percepção de que promoções são justas, de que praticar politicagem é ruim e de que todos são tratados com justiça, independentemente de sua idade. Também são mais propensos a apreciar uma atmosfera familiar e alegre e a acreditar que são incluídos nas decisões.

Esses achados são notáveis. As empresas se esforçam para criar culturas descoladas que atraem profissionais mais jovens, mas é importante não excluir funcionários mais velhos e o valor que eles trazem à organização. Como um colaborador de um excelente lugar para trabalhar reconhecido diz: "Respeite os seus funcionários independentemente de sua idade. Colaboradores que estão no mercado há muito tempo são um recurso para a empresa e devem ser bem respeitados".

A maior diferença entre *millennials* e *baby boomers*, e a que representa o maior risco financeiro para a organização, diz respeito à sua intenção de permanecer no trabalho por mais tempo. Embora 89% dos *baby boomers* pretendam ficar em seus empregos "por um bom tempo", apenas 79% dos *millennials* que entrevistamos dizem o mesmo. E, de acordo com a lista de Melhores Empresas para *millennials*, líderes *millennials* tendem a ir embora duas vezes mais do que líderes *baby boomers*. Isso não é totalmente inesperado, se considerarmos que eles se encontram em diferentes estágios da vida; afinal *millennials* são menos propensos a ficarem no emprego graças ao plano de saúde ou por causa de obrigações financeiras como o financiamento da casa própria, por exemplo.

Apesar disso, *millennials* que classificam a sua empresa como um Great Place to Work são vinte vezes mais propensos a dizer que gostariam de permanecer ali no longo prazo quando comparados a funcionários *millennials* que não classificam a sua empresa como um excelente lugar para trabalhar.

Em outras palavras, se você quer melhorar a retenção entre os funcionários *millennials*, construa um excelente local de trabalho.

## ALINHANDO A LACUNA GERACIONAL

Como foi mencionado anteriormente, não vemos uma diferença significativa no nível geral de confiança que as três grandes gerações vivenciam nas empresas certificadas como Great Places to Work. Mas, em algumas áreas-chave, há lacunas, e estas prejudicam o desempenho da empresa. O maior vazamento tem a ver com a rotatividade dos *millennials*. Cerca de um a cada cinco *millennials* mudaram de emprego no último ano, mais do que três vezes do que os de outras gerações O custo da rotatividade devido ao baixo comprometimento é estimado em 30,5 bilhões de dólares anuais.[78]

A nossa pesquisa concluiu que os fatores principais que fazem com que funcionários *millennials* tenham uma experiência pior do que os seus pares *baby boomers* são: propósito, significado e orgulho. Em particular, *millennials* são doze vezes mais propensos a quererem permanecer no emprego por mais tempo quando sentem que fazem uma diferença ali e que o seu trabalho possui um significado especial, e quando consideram que a empresa contribui para a sua comunidade. Quando os funcionários *millennials* sentem orgulho de contar aos outros sobre a sua empresa, eles têm dezenove vezes mais chance de planejar ali um futuro de longo prazo. Corrija as lacunas geracionais de propósito/orgulho, e você verá os *millennials* impulsionando a empresa rumo ao futuro.

Criar um excelente lugar para trabalhar para a geração dos *millennials* é um assunto importante no âmbito dos níveis de liderança, em particular. Como mencionamos no segundo capítulo, a experiência geral dos *millennials* vai decaindo conforme eles chegam a cargos de liderança. Isso representa um risco para o futuro de muitas companhias. Executivos jovens, que receberam treinamentos caros e desenvolveram um nível significativo de conhecimento institucional, podem facilmente procurar a felicidade em outro lugar se uma promoção se traduzir no declínio de sua qualidade de vida. A boa notícia, porém, é que as empresas podem preservar os seus *millennials* se promoverem uma cultura de alta confiança. A chave é garantir que a sua experiência permaneça positiva conforme eles forem promovidos a níveis mais altos de liderança.

Indo na direção das outras gerações, vemos que há uma lacuna que se reflete mal nos negócios. Como dissemos anteriormente, *baby boomers* têm percepções mais baixas sobre como os líderes envolvem funcionários em decisões que os afetam e de como eles buscam e respondem a sugestões. Mas esses colaboradores são mais propensos a trazer um vasto repertório de experiência de vida e de carreira que não pode ser ignorado. A prática descentralizada de decisões e um clima que favoreça o compartilhamento de ideias são vitais para o tipo de agilidade que envolve todo mundo e que é essencial para o sucesso dos negócios atualmente. Se funcionários mais velhos estiverem inseridos em uma cultura de comando e controle, eles não trarão à baila as suas ideias. E o resultado disso é um vazamento – vazamento este que as empresas precisam consertar caso queiram maximizar o seu crescimento e potencial.

## UMA EXPERIÊNCIA MELHOR PARA TODOS É UMA META VALIOSA

Colaborar para que todos, independentemente de quem seja e do que faça, tenham uma excelente experiência no trabalho é, atualmente, uma meta valiosa, moral e humanística – sobre a qual falaremos mais no quinto e sexto capítulos. Mas, como já vimos, há também uma lógica de negócios que justifica a diminuição de diferenças entre os grupos no ambiente de trabalho.

Também é importante observar que outros grupos demográficos além dos que abordamos aqui não podem ser negligenciados. Grupos como colaboradores que desempenham trabalho remoto, funcionários LGBTQ, veteranos de guerra e até introvertidos. É vital não perder de vista o fato de que todos são indivíduos singulares, apesar de fazerem parte de um grupo demográfico maior.

O principal é que qualquer pessoa deixada para trás no âmbito de uma empresa faz mal para os negócios. Cada pessoa, e o potencial dela, é importante. Ao incluir todos, você vai construir um futuro mais esperançoso para a sua empresa.

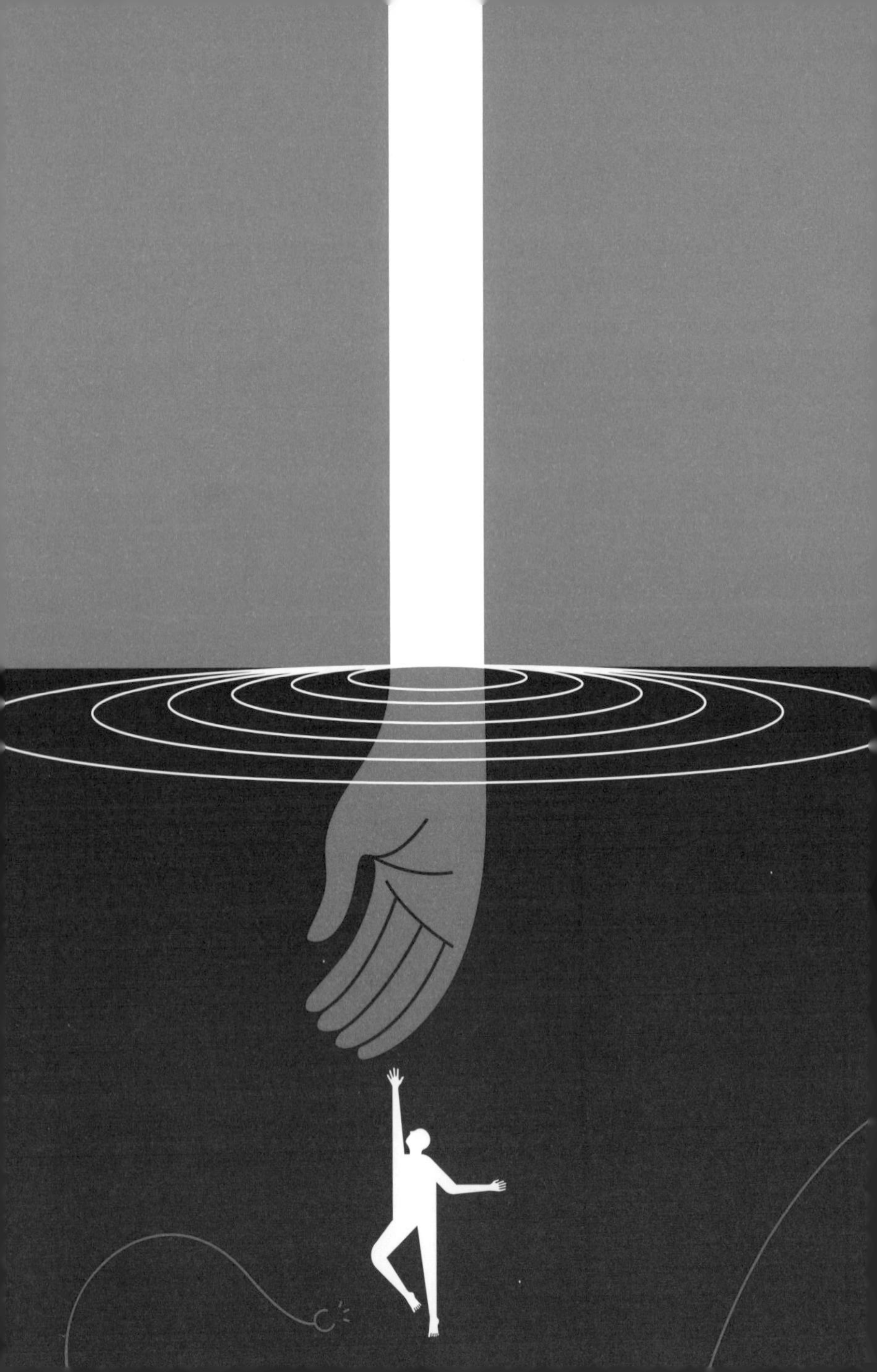

**Parte 2**
# Melhor para as pessoas, Melhor para o mundo

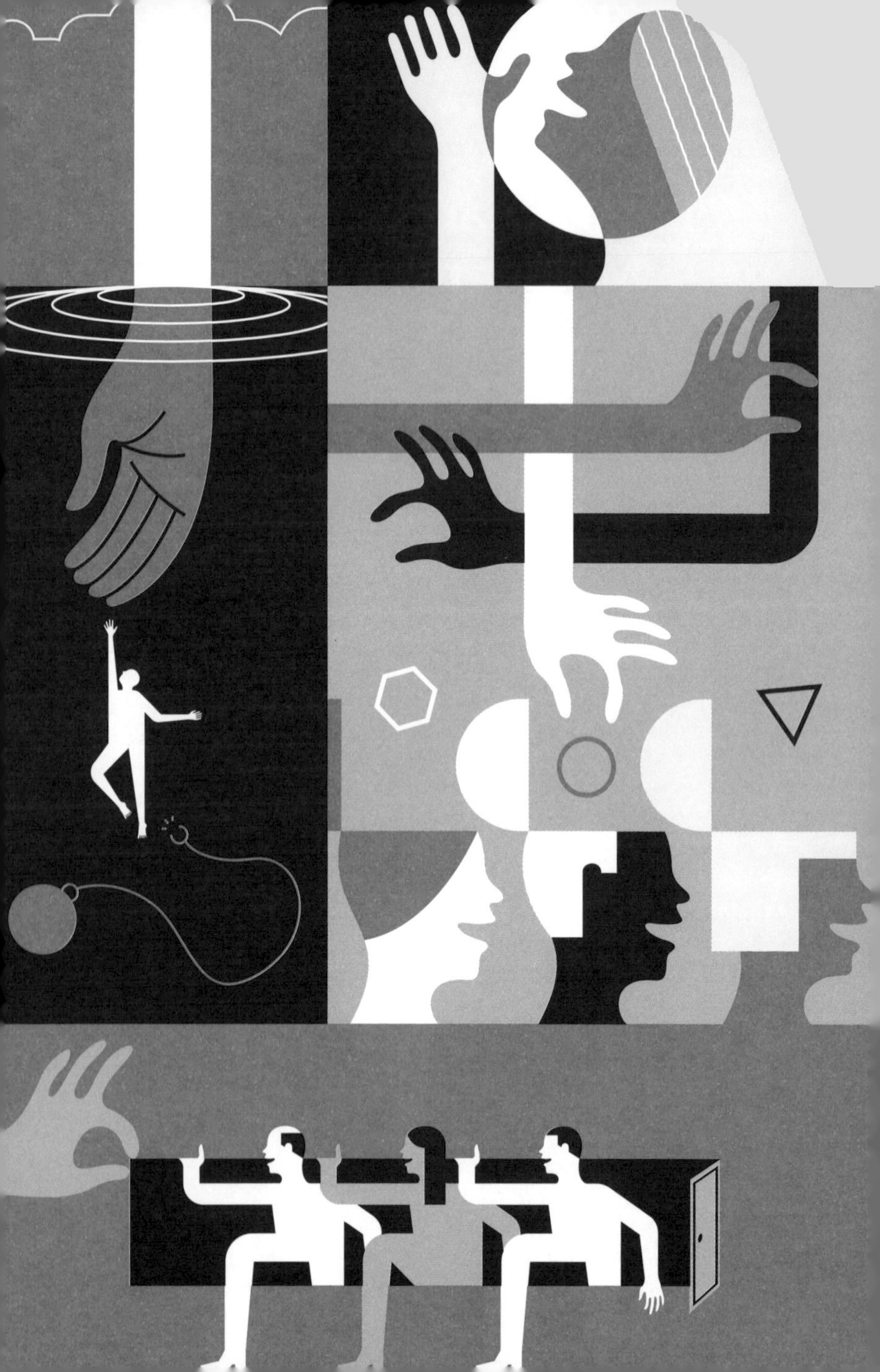

**CAPÍTULO 5**

# Quando a empresa funciona para todos

**Em Great Places to Work For All, todos os funcionários conseguem dar o seu melhor, ao mesmo tempo em que desfrutam de vidas mais saudáveis e satisfatórias.**

> "Eu acordo animado para ir ao trabalho todos os dias. Eu faço o meu melhor para reconhecer o que precisa ser feito e fazer sem que ninguém precise me dizer. Eu faço o que faço porque a matriz investiu em mim e no meu futuro. É um ambiente amigável e que me estimula a aprender. Eles me ensinam valores que me ajudam a viver melhor e a ser uma pessoa mais positiva."
> – Funcionário, **Matriz Service Company**

> "Eu adoro vir ao trabalho e interagir com a minha equipe e com outros funcionários. As políticas são justas, e somos sempre tratados com respeito. São atribuídas a nós tarefas significativas, gratificantes e que, na maioria das vezes, fazem-nos sentir que fazemos diferença. Não sinto como se estivesse indo para um emprego. Sinto como se essa parte da minha vida fosse uma extensão da minha família. Fica fácil vir para cá e dar tudo de mim para o trabalho que faço aqui."
> – Funcionário, **Synchrony Financial**

> "Esta empresa é mais do que um emprego para mim, é a minha vida. Os meus colegas são a minha família. Eu me identifico como um funcionário da O.C. Tanner e, se perdesse isso, perderia um pedaço de mim."
> – Funcionário, O.C. Tanner

Estas são declarações reais de funcionários que trabalham para empresas reconhecidas como Great Places to Work For All.[79] Eles vivenciam o que há de melhor em experiência de trabalho, ou seja, confiam nas pessoas para as quais trabalham, têm orgulho do trabalho que fazem e gostam dos colegas. E essa experiência tem um impacto em todos os âmbitos das suas vidas de maneira poderosa. Notavelmente, essas pessoas adoram, de fato, os seus empregos – na linha contrária do que é vivenciado pela maior parte dos habitantes do planeta. A cada ano desde o ano 2000, a Gallup reportou, com bastante alcance, que menos de um terço dos trabalhadores americanos são comprometidos no trabalho.[80] Esse número cai para 15% em escala global.[81]

Basicamente, para a maioria das pessoas, a maneira como trabalhamos não funciona e, como vimos nos capítulos anteriores, quando os funcionários não julgam a empresa como um Great Place to Work, as finanças se ressentem disso. Mas qual é o impacto nos funcionários como pessoas? Como passamos uma grande parte do tempo no trabalho (cerca de um terço do tempo em que estamos acordados, se trabalharmos quarenta horas semanais), esse é um grande risco. Não apenas para os negócios, que se saem prejudicados quando os funcionários não são comprometidos e dispostos a contribuir. Mas também é um problema para as pessoas. Ao longo do tempo, se a proporção de maus e bons dias pender para os maus dias, isso pode ter um real impacto na nossa qualidade de vida como um todo – dentro e fora do trabalho.

As nossas experiências no trabalho nos ajudam a modelar o que somos: o nosso sentimento de autovalorização, o nosso gosto pela vida, a nossa habilidade de alcançar o nosso potencial máximo. O sentimento de que estamos fazendo diferença e de que podemos dar o que temos de melhor para algo importante. Como Studs Terkel escreveu em sua grande obra *Working*, para a qual ele entrevistou diversos profissionais, de motoristas de táxi a assistentes de executivos: "Trabalhar é buscar, diariamente, um significado, tanto quanto o pão de cada dia, por reconhecimento e também por dinheiro, por admiração em vez de torpor; em suma, por uma vida, e não por uma espécie de morte de segunda a sexta".[82]

A nossa pesquisa sobre as Melhores Empresas ao longo dos últimos trinta anos prova que o trabalho pode, de fato, ser o lugar onde as pessoas podem ter uma experiência consistentemente positiva e satisfatória, dando o que têm de melhor. Em um Great Place to Work For All, essa é a experiência de todos que trabalham ali – independentemente de quem sejam e de quais sejam as suas funções.

## UMA EMPRESA FOCADA EM PESSOAS

No segundo capítulo, vimos como as empresa estão em meio à transformação da "economia do conhecimento" para a "economia humana", na qual o sucesso depende de características humanas que não conseguiriam ser programadas em um software – características como criatividade, paixão, caráter e espírito de equipe.[83] E, embora pareça óbvio, vale a pena observar que organizações não se beneficiariam da economia humana se tivessem de perguntar aos candidatos na entrevista de emprego o que os faz humanos. As pessoas não conseguiriam trazer paixão, criatividade e caráter para o trabalho se a sua natureza é oprimida; não partilharão de seu espírito de equipe se não fizerem parte de uma equipe que as acolhe e respeita.

Com frequência, a ideia de "bônus e benefícios" é confundida com um local de trabalho que trata bem as pessoas. Voltando às citações anteriores, veja que não há menção a bônus. Trazer serviços de lavanderia e um *foodtruck* de tacos às quartas-feiras é sempre uma boa ideia de mostrar aos funcionários que você se importa com eles, mas esses são gestos superficiais que não têm a ver com um local de trabalho de fato focado nas pessoas. Na verdade, as empresas são melhores para as pessoas quando atendem às suas necessidades mais profundas e essenciais, ajudando-as a se desenvolverem como profissionais e seres humanos. Como passamos tempo demais no trabalho, é no lugar onde trabalhamos que essas necessidades têm de ser atendidas.

Aqui, nós veremos como excelentes lugares para trabalhar For All ajudam a elevar o espírito humano, tratando todos os funcionários com um profundo senso de respeito, permitindo que todos na organização alcancem o seu máximo potencial de conquista, construindo uma comunidade para os colaboradores, na qual todos possam ser acolhidos e apoiados para que deem o seu melhor, com um forte sentimento de significado.

Para que a economia humana seja bem-sucedida, precisamos aceitar o fato de que, primeiramente e acima de tudo, *todos* os funcionários são seres humanos – nem mais, nem menos.

## ONDE HÁ HERÓIS NA GOVERNANÇA

Em que você acredita com relação aos seus funcionários? Como você *verdadeiramente* acredita que eles devem ser tratados – todos e cada um deles?

Antes de responder a essa questão, pare e reflita sobre si mesmo: a sua experiência de vida, os passos que você deu para chegar aonde está hoje, em que você acredita a respeito de liderança e trabalho. Se você é um líder que acredita, que confia nos colaboradores, as políticas, práticas e os comportamentos de sua empresa comunicam isso? Por exemplo, há muitos níveis de aprovação para que um gerente consiga comprar um laptop, mesmo que esteja no orçamento dele? Há algo que impeça você de tratar todos os funcionários com o mesmo nível de respeito que deseja para si mesmo? As suas verdadeiras crenças sobre os seus funcionários, para bem e para mal, modelam as suas atitudes com eles. Como líder, as suas atitudes, por sua vez, modelam a experiência deles no local de trabalho.

Um Great Place to Work For All é construído sobre relações fundadas na confiança com todos, e não há nada mais fundamental para a confiança do que um real senso de respeito entre líderes e funcionários – independentemente de quem seja e do que faça na empresa. Sabemos disso com base em três décadas de pesquisas em companhias de todos os tamanhos e setores, em todos os cantos do mundo. Quando há respeito, a empresa pode funcionar para todos.

Merriam-Webster define respeito como uma "consideração alta ou especial".[84] Procurando a etimologia da palavra, descobrimos que "respeitar", historicamente, significa "tratar com uma consideração ou estima diferenciada".[85] No Great Place to Work, nós definimos o respeito que os funcionários sentem no trabalho como uma das três dimensões da confiança (as outras duas são credibilidade e justiça) e o descrevemos como a maneira com que os funcionários acreditam que os seus líderes os tratam – como profissionais e como pessoas. De acordo com essas definições, podemos ver como a ideia de respeito pode representar desafios em um cenário profissional, no qual competição, limites, hierarquia e *status* são fatores com os quais temos de lidar. Cultivar uma atmosfera de constante respeito no trabalho em todos os grupos de funcionários é fácil em teoria e difícil na prática. Um senso mútuo de respeito entre colaboradores e líderes depende de uma determinada mentalidade por parte dos líderes – uma mentalidade que começa com uma crença genuína de que *todos* os funcionários merecem ser tratados com respeito. Isso inclui todas as funções, todos os níveis, gêneros, etnias e idades. Todos precisam acreditar que são respeitados.

Veja o exemplo da Marriott International, a companhia hoteleira que emprega cerca de 408.500 funcionários e colaboradores no mundo todo, em suas filiais, seus escritórios e nas propriedades que gerencia. O fundador, Bill Marriott, criou o valor-chave da empresa de respeito pelos colaboradores e o colocou no centro de sua filosofia: "Se você cuidar dos seus funcionários, eles cuidarão dos clientes".

Em 2017, com um portfólio de trinta marcas e mais de dezessete bilhões de dólares de faturamento anual, a Marriott International foi reconhecida na lista de 100 Melhores Empresas para Trabalhar da *Fortune* que premia as empresas que apareceram nas vinte listas, desde que começamos a produzi-la em 1998. No que se refere a princípios empresariais, parece que Bill Marriott escolheu um ótimo.

Na conferência do Great Place to Work For All de 2017, o CEO da Marriott, Arne Sorenson, observou que a sociedade valoriza com frequência os cargos de mais *status*, como os do setor da tecnologia, e que os serviços de pessoas na hospitalidade são em geral vistos como menos dignos. Sorenson pensa de maneira diferente. Ele acredita que os serviços que lidam diretamente com o cliente merecem ser "extraordinariamente dignificados"[86]. Na Marriott, os funcionários de serviços em geral, como atendentes, recepcionistas e a governança, são reverenciados.

"A governança é o grupo sobre o qual eu falo com mais frequência", disse Sorenson. "Eles são os meus heróis. Em geral, são mulheres; com frequência, imigrantes. Elas trabalham extraordinariamente duro. Elas vêm e fazem um trabalho altruísta, todo os dias. E fazem isso por anos, e fazem com orgulho."

Na Marriott, esses funcionários, tradicionalmente "escondidos" nos bastidores, ocupam um lugar de honra, no "coração da casa". Com essas pequenas diferenças, milhares de colaboradores são de repente elevados a um lugar no qual são vitais e visíveis – e assim uma terceira dimensão da palavra "respeito" vem à tona, isto é, "prestar atenção, levar em consideração". Em qualquer organização, um elemento importante do respeito é que os funcionários saibam que são vistos, que o trabalho deles é importante e que, de fato, *eles* são importantes.

Esse nível de respeito – ou seja, de fato tratar uns aos outros com consideração e até deferência – vem diretamente do topo da Marriott e se espalha por todos os níveis da empresa. Como um colaborador de The Ritz-Carlton, hotel do grupo Marriott, compartilhou:

"Eu trabalho na governança, na qual nos tratamos como família. Nós compartilhamos os sucessos uns dos outros, a dor, o sofrimento, a felicidade. Quando alguém está muito doente, perdeu um ente querido, e está passando por uma crise pessoal severa, nós nos reunimos, fazemos uma vaquinha e nos compadecemos de sua dor.

Eu perdi os meus pais em 2015. Um faleceu dois meses após o outro. E os meus superiores, colegas e pares me ajudaram a lidar com aquela dor e a tornar as minhas experiências menos difíceis. Recentemente, dois dos nossos colegas precisaram passar por quimioterapia, e dois outros fizeram uma vaquinha em toda a empresa e juntaram quatro mil dólares, que foram divididos entre os colegas com câncer.

Também somos tratados com respeito exemplar pela gerência, e todos tratam uns aos outros com dignidade e respeito. Nós nos esforçamos para tratar os hóspedes de maneira especial (acima e além do que é esperado), e nos apoiamos com dignidade, humanidade e respeito. A única coisa que eu mudaria para tornar este lugar melhor sou eu mesma. Eu gostaria de falar melhor o inglês para colaborar ainda mais com a minha família Ritz-Carlton. Eu amo o meu trabalho, os meus colegas e os nossos hóspedes maravilhosos. Essa é a verdade."

– Funcionária, **The Ritz-Carlton** [87]

Nos comentários dessa colaboradora, podemos começar a ver o impacto que as crenças dos líderes da Marriott têm sobre, literalmente, milhares de vidas. Também vemos o impacto positivo nos negócios, pois a colaboradora – que é bem tratada – dá o melhor de si para a empresa. E não para aí.

## A REVERBERAÇÃO DO RESPEITO

Ser respeitado (ou não) no trabalho tem a ver, no fim das contas, com um sentimento. É o sentimento que as pessoas têm por si mesmas; a sua noção de valor próprio. Esse sentimento tem o poder notável de transcender o local de trabalho, reverberando nas áreas mais longínquas das nossas vidas.

Enquanto experiências positivas no trabalho inspiram altos níveis de autoestima e confiança, como já vimos, experiências negativas podem sabotar a nossa habilidade de prosperar. Ainda mais perturbador do que isso é o fato de que elas podem gerar experiências tóxicas em outras partes da nossa vida também. Até pequenas atitudes de desrespeito podem ficar nas nossas cabeças por dias; ficamos revivendo aquela situação, e isso gera sentimentos negativos.[88]

Pesquisas também mostram como particularmente pernicioso pode ser o tratamento por parte de supervisores, como ser diminuído na frente dos colegas, causando estresse psicológico e insatisfação com a vida. Essas atitudes têm a tendência de se reverberar por meio de agressões deslocadas, pois funcionários podem "descontar" a sua frustração sobre familiares.[89] Só esse fato devia ser o suficiente para todo gerente parar para pensar antes de fazer com que qualquer pessoa se sinta diminuída no trabalho.

Mas a triste verdade é que é muito comum que funcionários se sintam desrespeitados no trabalho. Um estudo de 2014 com mais de vinte mil colaboradores de todo o mundo mostrou que mais da metade (54%) vivencia falta de respeito básica da parte dos seus líderes.[90] No lado bom, o mesmo estudo apontou que funcionários que se sentem respeitados por seus líderes relataram uma saúde e bem-estar 56% melhores e uma alegria e satisfação 89% maiores com os seus empregos. E, de acordo com a nossa pesquisa, colaboradores que se disseram respeitados em aspectos-chave, como inclusão nas decisões que os afetam, eram 5,3 vezes mais propensos a sentir o ambiente de trabalho como psicológica e emocionalmente saudável.[91]

Os resultados a respeito da saúde física e mental dos funcionários são extremamente importantes. Uma pesquisa das escolas de administração da Stanford e da Harvard mostrou que "problemas de saúde causados por estresse no trabalho, como hipertensão, doença cardiovascular e queda da saúde mental, podem levar a quadros fatais, que acabam por matar 120 mil pessoas por ano".[92] Como Paul Zak concluiu em seus estudos a respeito da neurociência da confiança, "comparadas às pessoas em empresas com uma cultura de baixa confiança, as que trabalham em ambientes de alta confiança relatam 74% menos estresse, 106% mais energia no trabalho, produtividade 50% maior, 13% menos dias de licença por doença, 76% mais comprometimento, 29% mais satisfação com as suas vidas, 40% menos desgaste".[93]

Respeitar os funcionários também significa entender que eles têm compromissos fora do trabalho. Quando compromissos pessoais e profissionais colidem, os funcionários, sobretudo aqueles que precisam cuidar de familiares, ficam sob o risco de altos níveis de estresse e sobrecarregamento – um fenômeno que só cresce. Apesar disso, nas 100 Melhores Empresas para Trabalhar, 83% dos colaboradores dizem que estão sendo ativamente encorajados por seus gerentes a cultivar um equilíbrio entre as suas vidas profissional e pessoal, e 91% dizem que podem se ausentar no trabalho quando precisam.[94]

Sejamos honestos: por meio de atitudes que são, ao mesmo tempo, grandes e pequenas, líderes e gerentes praticam um imenso poder sobre a felicidade geral, a saúde e o bem-estar dos seus funcionários. Se você está em uma dessas posições, use o seu poder para o bem, tratando todos os seus funcionários com um alto nível de respeito – no verdadeiro sentido da palavra. Eles o agradecerão, suas famílias o agradecerão, e a empresa agradecerá você também.

## EMPODERANDO TODOS PARA QUE DEEM O SEU MELHOR

Além de tratar todos com respeito, outra maneira de fazer a empresa "funcionar" para todos é dando oportunidades de aprendizado, crescimento e desenvolvimento ao seu pessoal.

Isso começa com o investimento, por parte das organizações, no desenvolvimento de seus funcionários. Quanto a isso, as Melhores Empresas são pioneiras. Embora algumas organizações tenham cortado de seus orçamentos verbas para aprendizado e desenvolvimento ao longo dos anos de recessão, ou por medo de treinar talentos que depois irão embora, as 100 Melhores Empresas para Trabalhar aumentaram o seu compromisso com o aprimoramento das habilidades dos seus funcionários.[95, 96] A média de treinamento oferecidas pelas 100 Melhores na lista de 1998 era de 35 horas por ano. O número cresceu para mais de 58 horas para funcionários que recebem por hora e 65% para os assalariados – ao todo, um aumento de 76%.

Permitir que os funcionários progridam profissionalmente também exige esforço. Significa lhes dar liberdade para florescer no trabalho, sem a interferência de microgerenciamentos. Quanto a isso, novamente, as Melhores Empresas largaram na frente. Entre elas, a porcentagem de funcionários que dizem que "a gerência confia que as pessoas farão um bom trabalho sem as vigiar o tempo todo" subiu 6% ao longo das últimas duas décadas, a um nível em que nove entre dez funcionários vivenciam um nível saudável de autonomia.

Esse senso de autonomia é crucial para a sensação "fluida" que os seres humanos tanto buscam – um estado chamado às vezes de *in the zone*, em que nos perdemos em uma tarefa, mesmo quando sentimos que estamos desafiando as nossas habilidades.[97] As Melhores Empresas reconheceram que esse estado elevado com frequência envolve trabalhar em equipe, o que nos desafia e nos faz aprender. Podemos nos recordar do funcionário da Matrix Services, que mostrou a sua satisfação com um "ambiente amigável", no qual podia aprender, e do membro da equipe da Synchrony Financial, que disse "[adoro] vir ao trabalho e interagir com a minha equipe e outros funcionários".

Trabalhando de forma independente e interdependente, indivíduos com frequência vão mais longe do que acreditavam ser possível em excelentes lugares para trabalhar. Assim como corredores amadores e outros atletas adoram atingir e bater recordes pessoais, os funcionários das Melhores Empresas são empoderados e, por isso, querem chegar longe em suas carreiras. Isto é o que um funcionário da agência de marketing Return Path nos escreveu:

> "Eu tive uma grande oportunidade de desenvolver a minha carreira aqui, e de contribuir para a organização de forma muito significativa. Eu posso honestamente dizer que vi oportunidades similares para muitos dos meus pares. Se aceita o desafio e o enfrenta, não há limites para o que você pode conquistar."

## ABRINDO AS PORTAS PARA CRIAR OPORTUNIDADES PARA TODOS

Empoderar as pessoas para que elas deem o seu melhor gera efeitos benéficos para os funcionários, mas também para a empresa, pois assim o seu pessoal aprofunda e expande as suas habilidades. Apesar disso, essa área apresenta desafios únicos para a construção de um Great Place to Work For All. As organizações com frequência identificam funcionários de "alto potencial" e focam os seus esforços no desenvolvimento desse grupo, ou oferecem treinamento apenas para alguns cargos mais importantes, como gerentes e engenheiros.

Mas, infelizmente, quando se trata de grupos demográficos, o fato é que ainda há uma tendência de que alguns grupos atropelem outros nessas oportunidades, simplesmente porque são mulheres, têm a pele mais escura ou não ocupam cargos de destaque. Pesquisas e testemunhos diretos de colaboradores continuam a revelar as muitas maneiras com que esses são tratados de maneira desigual no trabalho, sobretudo durante as avaliações de desempenho, os processos de promoção e outras atividades de avanço da carreira.

Como resultado disso, esses funcionários não são tão bem posicionados para obter sucesso, e ficam menos propensos a alcançar tudo que poderiam. O que é pior ainda é que eles perdem as oportunidades de avanço que os colocariam em posições de liderança, mandando uma mensagem clara para os colaboradores que se parecem com eles de que essas posições de poder não lhes cabem, agravando, assim, a desigualdade. Podemos ver como isso acontece observando números corporativos nos Estados Unidos:

47% da mão de obra são mulheres, mas apenas 6,4% dos CEOs da lista de 500 Empresas da *Fortune* são mulheres.⁹⁸

Nas áreas de ciência, engenharia e tecnologia (SET, na sigla em inglês), principalmente, o Center for Talent Innovation relata que, embora de 80 a 90% das mulheres desses setores adorem o seu trabalho, uma boa proporção se sente estagnada e tende a ir embora antes de completar um ano na empresa. Isso se deve, em grande parte, às culturas que excluem mulheres ou são até mesmo hostis com elas, além de uma escassez de apoiadores e outras barreiras para que elas alcancem cargos de liderança.⁹⁹

A boa notícia é que líderes de algumas das Melhores Empresas estão trabalhando mais duro para superar esses desafios, de modo que todos os funcionários prosperem.

Um exemplo pode ser visto na GoDaddy, a maior provedora de tecnologia para pequenos negócios do mundo e reconhecida como um excelente lugar para trabalhar. A empresa realizou uma análise aprofundado de suas políticas de promoção e progressão da carreira em parceria com o Clayman Institute for Gender Research (Instituto Clayman de Pesquisa de Gênero), da Stanford. A meta era identificar iniquidades. Guiada por uma crença inabalável de que homens e mulheres merecem ser tratados de maneira equânime, o CEO, Blake Irving, foi um dos principais defensores da igualdade salarial junto ao governo federal e até escreveu um livro a respeito, chamado *Decoding the Gender Bug*.¹⁰⁰

Ainda assim, a GoDaddy concluiu que, mesmo que os salários fossem justos entre homens e mulheres na empresa, havia iniquidades ocultas nos processos de seleção, promoção, avaliação e prêmios. Por exemplo, engenheiros eram promovidos mais rapidamente do que engenheiras, e uma auditoria nas avaliações de desempenho mostrou que os engenheiros eram avaliados com base na qualidade de sua codificação, enquanto as engenheiras tendiam a ser avaliadas com base em aspectos de "estilo", como a maneira com que trabalhavam em equipe.

Os líderes da GoDaddy tomaram decisões drásticas para melhorar isso. Entre os passos imediatos dados, foram completamente excluídos aspectos de "estilo" das avaliações de desempenho, se se criou a promoção por tempo no cargo, de modo que deixou de ser necessário perguntar "quem aqui quer ser promovido, levante a mão". Como resultado dos esforços, mulheres e pessoas negras passaram a ser promovidas de maneira mais eficaz, enquanto funcionários passaram a reportar uma experiência mais justa no trabalho como um todo. A taxa de rotatividade também diminuiu na empresa, com a maior melhora entre mulheres.[101]

Outro exemplo de uma oferta mais igualitária de oportunidades no setor tecnológico vem da WP Enine, uma companhia de Austin reconhecida como uma das Melhores Empresas que ajuda clientes a construir e administrar sites no software WordPress. Ali, a filosofia de "abrir mais as portas" guia as seleções de candidatos e o desenvolvimento dos seus funcionários.

Quando a CEO, Heather Brunner, juntou-se à WP Engine em 2013, a companhia estava decolando, e ela pôs um fim à exigência de um diploma de quatro anos de ensino superior para os candidatos. Foi uma decisão arriscada, já que 69% dos empregadores nos Estados Unidos exigem diploma de graduação para vagas juniores, o que representa uma barreira para pessoas desfavorecidas, com frequência provenientes de minorias sociais, ingressarem no mercado de trabalho.[102] Brunner queria que todas as pessoas tivessem uma chance de fazer parte da indústria tecnológica independentemente de terem ido à faculdade.

E funcionou. Em quatro anos, a WP Engine cresceu dez vezes. Hoje, 5% dos usuários de Internet visitam um site da empresa todos os dias, o que significa que ela atinge cem mil clientes em 140 países. Nesse mesmo período, a empresa expandiu a sua mão de obra para 475 pessoas, entre as quais um terço não possui diploma de ensino superior. Novos funcionários chegaram, em parte, de escolas de programação e outros cursos livres.[103]

"Podemos permitir a entrada de muitas outras pessoas e mudar a trajetória de suas carreiras", diz Brunner. "Se você tem uma ética de trabalho, se identifica-se com a nossa cultura, se quer ser um líder servidor no que diz respeito ao seu estilo de trabalho, e se estiver disposto(a) a trabalhar duro e fazer o treinamento necessário... Queremos investir em você e trazer mais pessoas. Essa foi uma virada para nós."

A empresa também oferece treinamento de finanças para todos os funcionários e abre as suas contas para eles. Isso começa na nova maneira de contratar, na qual a CFO April Downing ensina a todos os novos colaboradores como ler as planilhas financeiras da empresa e quais são os indicadores de desempenho, entre outras coisas. Daí em diante, todos os funcionários recebem atualizações financeiras mensais e compreendem claramente como os seus esforços impactam de forma direta algumas métricas-chave, como crescimento e fidelização de clientes.

"Jovens estão mais atentos a como o seu trabalho impacta a satisfação do cliente e de como esta, consequentemente, leva a uma oportunidade de fidelização, defesa dos serviços e crescimento", disse Brunner.

Abrindo mais as portas e fornecendo treinamentos financeiros para todos os funcionários, a WP Engine está criando oportunidades para pessoas que seriam, se não fosse por essas iniciativas, barradas no setor da tecnologia. Fazendo isso, eles estão mudando um cantinho do cenário tecnológico. E, servindo de exemplo, estão preparando o terreno para que outros façam o mesmo.

## VIVENDO UMA VIDA COLORIDA

Abrir mais as portas permite que as empresas se tornem comunidades ricas, que incluem pessoas das mais diversas origens e trajetórias. E as pessoas com as quais trabalhamos formam uma das mais importantes comunidades da nossa vida. Esses relacionamentos são reais e, na maioria das Melhores Empresas, as pessoas relatam ter colegas que são para elas como familiares. Embora esse sentimento não seja uma regra, deveria ser. Como criaturas sociais, ter uma conexão autêntica com as pessoas com quem passamos tanto tempo é algo de que precisamos.

## "POSSO SER EU MESMO AQUI"

Criar conexões significativas no trabalho começa com o incentivo para que os funcionários sejam eles mesmos, todos os dias. Embora colaboradores de excelentes lugares para trabalhar tenham declarado "Posso ser eu mesmo aqui" por décadas, a ideia de adotar um *alter ego* no trabalho está se tornando uma proposta cada vez menos realista. Conforme mais funcionários com perfis em redes sociais publicam comentários sobre as suas vidas de dentro e fora do trabalho, os limites entre a sua personalidade "profissional" e "real" estão ficando mais confusos.

E essa é uma boa coisa. Quando as pessoas dizem que podem ser elas mesmas no trabalho, significa que estão se sentindo psicologicamente seguras, o que lhes permite compartilhar os seus pontos de vista, suas experiências e suas ideias mais criativas – sem medo de críticas que poderiam paralisá-las.[104] Isso é bom para os negócios, pois esses elementos levam claramente a mais inovação e colaboração. No espectro do desenvolvimento humano como um todo, isso também prepara o terreno para que as pessoas atinjam o seu potencial total, porque podem "ativar-se e interagir com o mundo ao seu redor" das formas mais significativamente autênticas.[105]

Beth Brooke-Marciniak, vice-presidente global de políticas públicas da EY, uma das quatro maiores firmas de contabilidade entre as 100 Melhores Empresas para Trabalhar, compartilhou o que ela pensa que é perdido quando não se permite que as pessoas sejam elas mesmas no trabalho. Não apenas Brooke-Marciniak foi eleita nove vezes uma das 100 Mulheres Mais Poderosas do Mundo, mas, em 2011, ela se revelou gay publicamente e, naquele momento, transformou-se na líder executiva mais "sênior" a sair do armário.

Na conferência DO Great Place to Work For All, ela disse: "Eu passei de viver a minha vida em preto e branco para vivê-la colorida. Eu não tinha ideia do quanto o mundo e a EY não estavam recebendo o máximo que eu poderia oferecer. Cinco anos antes, eu teria argumentado que eles estavam, sim, recebendo tudo que eu tinha a oferecer. Não tinha ideia do que estava deixando de fora".[106]

Ou seja, criou-se um ambiente em que os funcionários possam ser eles mesmos, e eles serão o melhor que podem ser.

"Sou grata ao fato de que mais dos nossos funcionários no mundo todo estão se sentindo livres para serem quem realmente são", disse Beth Brooke-Marciniak. "Ninguém deveria viver a vida em preto e branco, porque, se viverem, não estamos recebendo o melhor que eles têm a oferecer."

## UMA NOVA FRONTEIRA PARA O CUIDADO

Parte da construção de conexões autênticas no trabalho tem a ver com o cuidado que se tem com os funcionários – dentro e fora da empresa. Embora isso inclua o incentivo a um equilíbrio entre a vida profissional e pessoal, vai além de práticas como dar um número generoso de dias livres.

Em vez disso, construir uma comunidade acolhedora no trabalho significa celebrar as pessoas nos bons tempos e apoiá-las quando as coisas ficam difíceis. Na verdade, a maneira com que apoia os seus funcionários nos tempos de necessidade é um indicador-chave de um excelente lugar para trabalhar, o que estudamos aprofundamento como parte da identificação de boas empresas no mundo todo. A maioria de nós vai, em algum momento de nossas vidas, enfrentar um desafio maior, que pode ficar bem mais leve quando os nossos colegas se importam conosco, como foi ilustrado no caso da governança de The Ritz-Carlton. Em qualquer comunidade forte, quando uma pessoa necessita de ajuda, há um exército que sai em seu auxílio.

Alguns líderes estão trazendo, corajosamente, o conceito de cuidado com os funcionários em momentos de necessidade a um novo nível, porque às vezes o apoio de que eles precisam não tem a ver com dinheiro ou tempo livrem nem com a criação de uma nova política de recursos humanos. Às vezes, o que é necessário é reconhecer, abertamente, e testemunhar a experiência do funcionário – ou do grupo de funcionários. E esse pode ser o tipo de apoio mais difícil de se dar.

Em julho de 2016, Tim Ryan estava em sua primeira semana como presidente da PwC quando o noticiário nacional foi invadido pela cobertura dos policiais que mataram cidadãos negros em Dallas, no Texas. Em meio à tragédia e à cobertura de outras ocasiões em que a polícia atirou em homens negros em várias partes dos Estados Unidos, Ryan disse que, embora os líderes de sua empresa soubessem que os funcionários estivessem magoados, "o silêncio era ensurdecedor" quando chegaram ao trabalho na manhã seguinte. "Ninguém sabia o que dizer", ele falou.[107]

Em resposta a isso e indo contra o conselho de muitos de seus pares e conselheiros, Ryan corajosamente decidiu travar um diálogo com toda a companhia – um diálogo vasto sobre questões étnico-raciais que ele sabia que seria desconfortável, mas necessário. Ele classificou a conversa com os funcionários como uma maneira de "tentar compreender como eles se sentiam; como era ser negro em nosso país naquele momento; como era ser branco e tentar entender".

Uma vez que começou, o diálogo revelou verdades poderosas e antes nunca ditas relacionadas aos funcionários negros da PwC. Por exemplo, alguns colegas compartilharam que eles se sentiam seguros ao vestir ternos para ir trabalhar. Serviam como uma espécie de capa de super-herói que, uma vez tirada ao fim do expediente, deixava-os vulneráveis. Outros colegas compartilharam que haviam ensinado aos seus filhos a como reagir caso fossem "parados" pela polícia, a sempre andar com os cartões de visita nos bolsos da frente para provar que eram profissionais e que tinham, de fato, comprado o carro que estavam dirigindo.

Bem, essa é a vida real. É aí que as coisas ficam duras, e é aí que o diálogo pode ajudar as pessoas. Em uma conversa como essa, os desafios e as dificuldades dos funcionários se tornam conhecidas, e o conhecimento pode levar à empatia. O conhecimento pode levar ao apoio. E o conhecimento pode levar à mudança.

Nancy Vitale, vice-presidente sênior de recursos humanos da Genentech, observou que até pequenos sinais de apoio por meio do diálogo podem nos levar longe. Uma funcionária muçulmana da Genentech compartilhou com Vitale e sua equipe que uma colega havia perguntado como ela estava, diante das coisas ruins ditas sobre muçulmanos nos Estados Unidos, e como eles poderiam apoiá-la. Com lágrimas nos olhos, a mulher compartilhou que, só de fazer essa pergunta – como ela estava e o que poderia ser feito para apoiá-la – fez toda a diferença. "Essas interações individuais, de um para um, são incrivelmente poderosas", disse Vitale.[108]

Se estamos falando de autenticidade nas relações e de apoio aos funcionários, também precisamos falar de como podemos expandir o que são tradicionalmente aceitas como formas de ajuda aos funcionários. Felizmente, a mudança já está em curso. Desde 2016, Tim Ryan assegurou a participação de mais de 275 CEOs de algumas das maiores corporações do país na CEO Action for Diversity and Inclusion (Ação para Diversidade e Inclusão), na qual CEOs prometem publicamente criar um ambiente de trabalho seguro, de diálogo, mitigar posturas tendenciosas inconscientes e compartilhar as melhores – e piores – práticas.[109]

Embora os resultados desses esforços ainda precisem ser medidos, o fato é que essas conversas estão acontecendo na elite corporativa dos Estados Unidos, o que promete uma virada nova e positiva. Essas ondas podem estar nos empurrando para um futuro no qual *todos* os funcionários que compõem as nossas comunidades profissionais sejam apoiados e acolhidos.

## TODOS BUSCAMOS SIGNIFICADO

Neste capítulo, vimos as muitas maneiras com as quais funcionários podem ser tratados no trabalho que os honram e despertam neles o que têm de melhor em espírito humano.

O tópico final deste capítulo não é sobre como colaboradores são tratados, mas como eles acreditam que o seu trabalho tem significado. No fim das contas, todas as pessoas – e não apenas os *millennials* – precisam saber que os seus esforços fazem diferença para o mundo. Voltando à observação atemporal de Terkel: "Trabalhar é buscar, diariamente, um significado, tanto quanto o pão de cada dia". Todas as pessoas, em todas as profissões, podem se identificar com a necessidade de trabalho significativo.

Na verdade, o desejo de nos sentir conectados com o que fazemos parece enraizado em nós. A maioria de nós sabe disso intuitivamente, pois sente. A Escola de Administração Sloan, do MIT, concluiu que, mesmo em tarefas mais fúteis, como identificar ocorrências das letras "s" em uma folha de papel, as pessoas eram mais produtivas – e dispostas a repetir a tarefa por menos dinheiro – quando sentiam que elas tinham significado. No caso da busca pela letra "s", a condição de "significado" foi atendida simplesmente pedindo que as pessoas escrevessem o seu nome em um papel e dizendo que o seu trabalho seria analisado por um pesquisador e depois anexado a um arquivo – e não ignorado ou rasgado.[110]

Pode ser esse o motivo de, no nosso estudo com as 100 Melhores Empresas para Trabalhar da *Fortune* de 2016, percebermos uma conexão impressionante entre a intenção dos funcionários de ficarem na empresa por mais tempo e a sua crença de que "o trabalho tem um significado especial, não é 'só um emprego'". Dos mais de cinquenta fatores associados à ideia de um excelente lugar para trabalhar (entre os quais salários justos e participação nos lucros, oportunidades de desenvolvimento profissional, benefícios e bônus, um ambiente de trabalho alegre e muitos outros), eram o senso de significado e de propósito que influenciavam *mais* o desejo do funcionário de permanecer na empresa no longo prazo.[111]

O céu é o limite quando se trata de fomentar esse sentimento entre os funcionários. Entre as 100 Melhores Empresas, a W.L. Gore & Associates, a manufatureira que criou o Gore-Tex, funcionários interagem com os clientes que usam os seus tecidos tecnológicos, como policiais e militares. Assim, eles podem receber *feedback* sobre a diferença que o produto faz em situações reais em que são usados.[112] Há também o exemplo do comerciante de equipamentos para atividades ao ar livre, Recreational Equipment, Inc. (REI), cuja missão é "inspirar, educar e vestir para toda uma vida de aventuras e mordomia ao ar livre". Apesar de ser um ambiente de vendas, a empresa também tem programas para levar os funcionários para a natureza, entre os quais aqueles em que funcionários ensinam clientes técnicas para a vida ao ar livre.[113]

A mensagem, aqui, é que todas as pessoas, independentemente de sua idade, de sua função na empresa, desejam e precisam ser conectadas a um senso de significado em seu trabalho. Seja um simples "obrigado" de seu gerente ou a visão compartilhada da razão de ser da empresa, todos os funcionários devem saber que o que eles fizeram naquele dia no trabalho significou algo. Porque, ao longo do tempo, uma vida repleta de dias significativos equivale a uma vida significativa.

## MELHOR FOR ALL

Para a maioria das pessoas no mundo, o local de trabalho não tem aqueles elementos que nos fazem prosperar como seres humanos – coisas básicas como respeito, oportunidades de crescimento pessoal e de conquistas, uma comunidade acolhedora e um senso de significado. Apensar disso, ao tratar cada funcionário como um indivíduo merecedor de tudo isso, é possível criar uma experiência de trabalho – e, por extensão, de vida – que nos permita prosperar. Um funcionário da Schweitzer Engineering Laboratories resumiu isso perfeitamente:

> "Os valores da SEL focam em cada funcionário individualmente para que persiga a sua visão de vida e se aproxime dela todos os dias. Eu, pessoalmente, colaboro com o meu melhor

na SEL todos os dias; aprendo muito, socializo com pessoas diversas e me doo para ajudar os outros. O que poderia ser melhor na vida do que isso?"

Então, trate bem os seus funcionários. É melhor para eles e é melhor para a sua empresa. E, como veremos no próximo capítulo, é melhor para o mundo também.

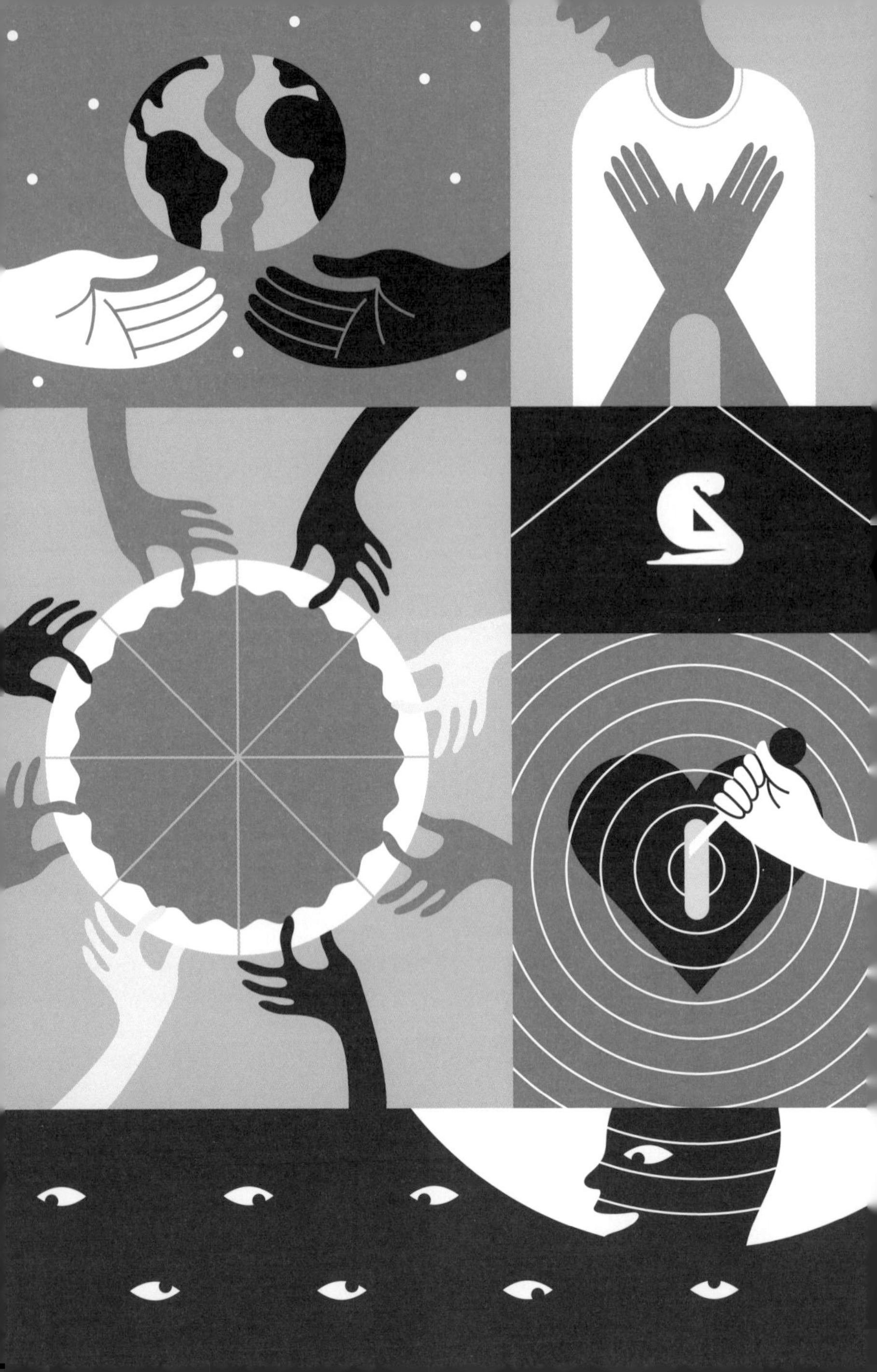

## CAPÍTULO 6

# Negócios melhores para um mundo melhor

**Great Places to Work For All ajudam a construir uma sociedade definida por cuidado, justiça, prosperidade compartilhada e oportunidades individuais.**

Quando o programa espacial americano nos levou para a Lua no século passado, ele nos permitiu avançar como espécie aqui na Terra também. A começar, a NASA permitiu que mulheres afro-americanas desempenhassem papéis importantes na corrida espacial contra a União Soviética.

O best-seller (e filme de sucesso) *Estrelas Além do Tempo* capta a maneira com que matemáticas afro-americanas, conhecidas como "computadores humanos", ajudaram a traçar os números por trás dos primeiros lançamentos de foguete da NASA. Uma dessas matemáticas, Katherine Johnson, calculava a complexa trajetória de um voo espacial orbital. Ela pediu para assumir essa tarefa. "Diga-me onde quer que o homem aterrisse", ela disse, "e eu direi para onde vocês devem mandá-lo."[114]

Junto a essa ousadia, ela apresentou um artigo científico de 1960, publicado por uma mulher da Divisão de Mecânica Aeroespacial do Centro de Pesquisa Langley da NASA.

Todos tinham tanta confiança nela que o astronauta John Glenn pediu que ela revisasse os números gerados por um computador antes que ele decolasse para entrar em órbita da Terra. Johnson também contribuiu para a maior proeza espacial: colocar o homem na Lua. Ela determinou o exato horário em que o foguete deveria decolar da superfície lunar para se reconectar com o módulo de serviço orbital.

A NASA, àquela época, não era um lugar perfeito para mulheres ou para afro-americanos. As cerca de trinta "mulheres-computador" afro-americanas mostradas no filme não eram tratadas com justiça nem com total respeito – a maioria delas trabalhava em um prédio separado e tinha de usar banheiros específicos para negros. Os líderes da NASA, porém, queriam alcançar a sua missão. Isso significa que eles tinham de respeitar as mentes dotadas para a Matemática daquelas mulheres para conseguir as inovações milagrosas de que precisavam. E esse respeito e as oportunidades dadas pela NASA foram recompensadores para as mulheres, para a agência e para a sociedade. Embora tenham sido muitas vezes "escondidas" por anos a fio, as mulheres afro-americanas trabalhando na NASA hoje são reconhecidas e estimadas. Então não apenas as fotos lunares da NASA inspiram pessoas de todo o planeta, como Johnson e suas colegas gradualmente se tornaram importantes modelos para a comunidade afro-americana e para meninas e mulheres interessadas em Matemática e Ciências.[115]

Apesar do mau tratamento dessas mulheres afro-americanas como "computadores", a NASA e a sua liderança desempenharam um papel positivo na criação de uma sociedade mais justa, especialmente no sul dos Estados Unidos.[116] Dr. Wernher Braun, diretor do Centro de Voos Espaciais Marshall, em Huntsville, Alabama, pronunciou-se contra a discriminação em um discurso de 1964 dirigido a líderes locais. Von Braun, imigrante alemão considerado o pai da tecnologia de foguetes, usou uma analogia da Guerra Fria na Europa para argumentar que taxas eleitorais e outras restrições ao voto eram erradas. "Todas essas barreiras regulatórias erguem um 'Muro de Berlim' ao redor da urna", ele disse. "Eu não vou ficar quieto diante de um tema importante como a segregação."[117]

Mais de cinquenta anos depois do comentário de Von Braun, a humanidade ainda não atingiu a equidade étnico-racial e inclusão. E, globalmente, muitos outros problemas persistem. Centenas de milhões de pessoas passam a maior parte do seu tempo em trabalhos que abatem a sua força de vontade, aumentam o estresse e desgastam a sua saúde. Graças, parcialmente, às frustrações no trabalho, ou à falta de bons trabalhos e a um tumultuado sistema econômico global, o tecido social dos Estados Unidos e no mundo está esgarçado. Divisões políticas se aprofundaram, enquanto a fé uns nos outros enfraqueceu. Em suma, trata-se de um momento urgente para líderes organizacionais decidirem que tipo de ambiente de trabalho querem liderar e em que tipo de mundo querem viver. Assim como no tempo de Von Braun, líderes têm uma escolha de como usar o seu poder e a sua influência. Ficarão quietos diante dos desafios que se multiplicam no mundo dos negócios? Ou se pronunciarão e agirão – dentro e fora de suas empresas – para resolver os problemas que assolam a sociedade?

Atualmente, líderes que optam pela segunda alternativa estão trabalhando para construir Great Places to Work For All. Essas são as organizações de que o mundo precisa agora – e desesperadamente. Ao auxiliarem as pessoas a atingirem o seu máximo potencial, Great Places to Work For All ajudam a construir uma sociedade definida por cuidado, justiça, prosperidade compartilhada e oportunidades individuais.

Em outras palavras, Great Places to Work For All libertam os seres humanos para que possam sonhar alto, como Katherine Johnson sonhou um dia, e a fazer isso em harmonia uns com os outros.

### UM MUNDO EM SOFRIMENTO

**A harmonia e o cuidado mútuo bem que podiam ser maiores.**

Suspeita e falta de confiança estão crescendo no mundo de hoje. Em 2017, o Barômetro de Confiança anual da empresa de comunicação Edelman mostrou que a confiança das pessoas nas quatro instituições principais – empresas, governo, ONGs e mídia – tem caído globalmente. Edelman mostrou que a maioria dos participantes da pesquisa, pessoas do mundo todo, não têm fé suficiente de que o "sistema" as ajuda. "Nesse clima, as preocupações socioeconômicas das pessoas, entre as quais a globalização, o ritmo das inovações e a erosão dos valores, tornam-se medos, estimulando o crescimento de ações populistas, como se tem visto em várias democracias", concluiu Edelman.[118]

Uma economia global relativamente livre tirou milhões de pessoas da pobreza em países em desenvolvimento ao longo das últimas décadas.[119] Mas também deixou para trás muitos sem emprego nos países desenvolvidos devido à derrocada de empresas para outros lugares mais baratos e à automação. Os resultados foram níveis elevados de insegurança econômica, estresse profissional e uma desigualdade crescente nas nações desenvolvidas.

Demissões em massa tornaram-se estratégias comuns entre os anos 1990 e 2000, e um impressionante número de 8,7 milhões de empregos americanos foram cortados durante a Grande Recessão, há cerca de uma década.[120] A instabilidade persistiu durante o período subsequente de recuperação. Pesquisas recentes da Pew Charitable Funds demonstram que quase metade dos americanos sentiram flutuações substanciais em salários, e que os rendimentos da típica família americana cresceram apenas 2% na última década, enquanto apenas metade da sociedade se sente financeiramente segura.[121]

A insegurança profissional é uma parte importante do estresse financeiro sentido pelos americanos. Também contribuindo para essa ansiedade relacionada ao trabalho estão o ritmo mais acelerado dos negócios, uma cultura organizacional *always on* e desafios maiores nos compromissos tanto pessoais quanto profissionais, entre os quais cuidados com as crianças e os idosos. Ao estresse, é somada uma crise pouco discutida, na qual o trabalho está, literalmente, matando-nos lentamente.[122] Como mencionamos no capítulo anterior, o estresse relacionado ao trabalho e as doenças causadas por ele levam a 120 mil mortes anuais nos Estados Unidos. Isso torna a ansiedade profissional uma doença mais letal que o diabetes, o Alzheimer e a gripe.[123]

Ao mesmo tempo, o problema atinge a sociedade na forma de custos desnecessários com saúde. Jeffrey Pfeffer, professor de administração da Universidade de Stanford e um dos autores de uma pesquisa sobre os efeitos do ambiente de trabalho no estresse, estima que o país gaste com isso até 190 bilhões de dólares por ano, aumentando os gastos com a saúde em 5 a 8%.[124]

## A DESIGUALDADE CRESCENTE DERRUBA O MUNDO

Globalmente, disparidades salariais têm caído em meio ao sucesso econômico de países como China e Brasil. Mas o mercado global também levou a níveis maiores de desigualdade em quase todas as nações desenvolvidas.[125] O alargamento da iniquidade representa um problema para países individualmente e para o mundo como um todo. O epidemiologista Richard Wilkinson documentou os efeitos corrosivos na sociedade quando as disparidades financeiras são grandes. Entre esses efeitos, estão doenças físicas e mentais, violência, baixos índices de proficiência em Matemática e Literatura entre os jovens, além de níveis mais baixos de confiança e uma vida comunitária enfraquecida.[126]

Esses problemas, ele observa, nascem do fato de que grandes desigualdades em *status* social levam os seres humanos a se verem como adversários, não aliados. "Se a sociedade experimenta grande iniquidade e um *status* marcado de hierarquia, se há um sentimento de superioridade e de inferioridade, isso nos diz se estamos todos no mesmo barco e dependemos da cooperação e da reciprocidade, ou se temos de nos defender em uma sociedade em que reina a lei do mais forte", escreve Wilkinson.

Também ocorre que a prosperidade global sofre com os altos níveis de iniquidade. Um estudo de 2014 da Organização para a Cooperação e o Desenvolvimento Econômico concluiu que países em que a iniquidade salarial está diminuindo crescem mais rapidamente do que aqueles em que a iniquidade está se alargando.[127]

Não apenas o nosso mundo está diante dos desafios da iniquidade, do estresse profissional e da insegurança na economia, como a espécie humana está sofrendo por falta de bons empregos. É isso que uma sondagem da Gallup descobriu. Ao longo do último século, o "desejo do mundo" passou de paz, liberdade e família para um bom emprego.[128] Essa mudança foi conduzida, em parte, pelos jovens que fazem amizades por meio do trabalho e desejam mais significado e desenvolvimento em suas carreiras, conforme explica o CEO da Gallup, Jim Clifton. Ainda assim, como mencionamos no capítulo anterior, Gallup também descobriu que apenas 30% dos americanos são comprometidos com os seus trabalhos, número que cai para 15% em nível global.

"O que o mundo todo quer é um bom emprego, e estamos falhando no atendimento a essa demanda, especialmente entre os *millennials*", diz Clifton. "Isso significa que a humanidade está falhando também. A maior parte dos *millennials* está chegando à vida profissional com grande entusiasmo, mas os antigos estilos de gestão – com formulários, foco nas lacunas de habilidade e relatórios anuais – tira a força de vontade deles".[129]

## O PAPEL DOS GREAT PLACES TO WORK FOR ALL

De modo geral, concordamos com Clifton. Desperdiçamos potencial humano em empresas do mundo todo, em uma escala quase inimaginável.

## Aumentando a segurança no trabalho

Estima-se que mil pessoas morram no trabalho todos os dias. Mas a Elektro Eletricidade e Serviços está fazendo a sua parte pela segurança.

A companhia brasileira de eletricidade, que tem 3.700 funcionários, contabilizava doze acidentes por ano em menos de duas décadas, incluindo duas mortes. A segurança não era uma prioridade da empresa; ela focava em investimentos em tecnologia, não em funcionários. Mas, sob a gestão de Marcio Fernandes, que se tornou presidente da empresa em 2011, a Elektro se tornou a líder de eletricidade no Brasil e engajou-se em uma campanha interna de "zero acidentes". Seu objetivo de reduzir os acidentes anuais a zero a fez adotar um programa de treinamento para a segurança baseado em dados e comportamentos.

"Por muitos anos, o nosso foco foi investir em máquinas", diz Fernandes, "mas, depois, decidimos investir fortemente em pessoas".

Desde 2011, não houve mortes relacionadas ao trabalho na empresa. Em 2014, a Elektro relatou apenas três acidentes que obrigaram funcionários a se afastarem do trabalho por um dia ou mais. Esse número foi zerado em 2015, e houve apenas uma ocorrência em 2016.

Uma segurança maior acompanhou melhores resultados nos negócios. De 2012 a 2016, a Elektro desfrutou de um salto de 10% em rendimentos. Também em 2016, ganhou um prêmio do setor por seu ótimo atendimento ao cliente. Fernandes diz que a virada da Elektro, centrada em pessoas e lucrativa ao mesmo tempo, é um "sucesso duplo".

Mas nem todas as empresas falham na oferta de bons empregos e na promoção de desenvolvimento humano. As Melhores Empresas, aquelas que homenageamos em nossas listas e que estão tentando se tornar Great Places to Work For All, cumprem com esses compromissos e com outros também. Estão, de forma discreta, indo contra a tendência global de falta de confiança, ansiedade econômica e iniquidade.

Elas não oferecem apenas bons empregos, mas excelentes empregos. Não apenas empregos integrais, com um salário fixo, mas um ambiente de trabalho no qual as pessoas confiam em seus líderes, gostam dos seus colegas e se orgulham de seus trabalhos. Além disso, essas empresas estão melhorando com o tempo. Notamos que até as Melhores Empresas têm lacunas, com algumas pessoas vivenciando uma experiência melhor que outras. Mas, ainda assim, os níveis de confiança, orgulho e camaradagem que medimos em nossas pesquisas com funcionários aumentaram em 14% ao longo de vinte anos de listas de 100 Melhores Empresas para Trabalhar nos Estados Unidos. Em 2017, impressionantes 91% de funcionários das 100 Melhores disseram que, de modo geral, podiam considerar as suas empresas excelentes lugares para trabalhar.

E essas excelentes experiências transbordam além do local de trabalho.

### EMPRESAS QUE CUIDAM

Primeiramente, Great Places to Work For All contribuem para um mundo com mais cuidado mútuo. Isso começa com a forma como essas organizações promovem relacionamentos positivos e humanos, com líderes e colegas que se importam uns com os outros. As pessoas não são apenas peças de uma máquina, números ou corpos ambulantes. Como abordamos no capítulo anterior, colegas passando por crises sérias, como doenças graves ou a morte de um ente querido podem contar com apoio, preocupação e consolo.

O cuidado que os funcionários sentem nos excelentes lugares para trabalhar vem, no entanto, de uma fonte maior do que a empatia de colegas e chefes. Entre os fatores que definem um ambiente saudável, que diminui a ocorrência de doenças relacionadas ao estresse, citados por Jeffrey Pfeffer, da Stanford, estão certo controle sobre o trabalho, a habilidade de resolver conflitos entre os compromissos de família e trabalho, a percepção de justiça na empresa e estabilidade. Todos esses fatores estão presentes, em geral, nos Great Places to Work For All. Por exemplo, mesmo com tantos americanos na montanha-russa econômica que deixou mais pessoas ansiosas do que empolgadas, as Melhores Empresas preservaram – ou aumentaram – a estabilidade. A quantidade de funcionários nas 100 Melhores que dizem "Acredito que a gerência recorreria a demissões somente em último caso" aumentou de 81% em 1998 para 85% em 2017.

Isso colabora para um ambiente holisticamente mais saudável. Entre as 100 Melhores Empresas de 2017, 84%

dos funcionários afirmaram que trabalham em um ambiente "psicológica e emocionalmente saudável". Em outras palavras, as pessoas geralmente não sentem a raiva e a humilhação causadas por um chefe que as ridiculariza. Não se preocupam quando têm de sair mais cedo para assistir ao jogo de futebol do filho. Na verdade, muitas têm certo nível de controle sobre os seus horários e sobre onde trabalham. E não se sentem impotentes sobre como devem fazer o seu trabalho, nem se preocupam se o cargo será eliminado de uma hora para outra. Ao contrário, elas se sentem respeitadas. Na maioria das vezes, elas se sentem ótimas no trabalho. E trazem, portanto, esse sentimento positivo para casa, onde podem cuidar melhor das pessoas que habitam as suas vidas fora do trabalho: cônjuges, filhos, amigos e vizinhos. Como compartilhou uma funcionária de uma empresa certificada como Great Place to Work:

> O que REALMENTE faz a diferença para mim é trabalhar de casa. Eu AMO esse benefício mais do que qualquer outra coisa. Ganho três horas no meu dia que seriam usadas para me arrumar e chegar ao trabalho e em casa. Eu posso usar esse tempo para me exercitar e fazer o jantar para os meus filhos sem tanta pressa! Sou uma funcionária melhor, uma esposa melhor e uma mãe melhor graças a esse benefício e sou muito grata por ele.

Muitos excelentes lugares para trabalhar beneficiam os seus funcionários com políticas generosas que lhes permitem cuidar de familiares doentes. Em 2016, por exemplo, a consultoria Deloitte anunciou que daria aos seus colaboradores dezesseis semanas pagas de licença familiar em caso de doença na família. Esse benefício é muito generoso para os parâmetros americanos, segundo os quais as empresas não precisam, por lei, dar licenças aos seus colaboradores. [130]

A oferta de planos de saúde para familiares dos funcionários é outro benefício dos Great Places to Work. Via de regra, as 100 Melhores Empresas oferecem esse tipo de cobertura para os funcionários e seus familiares. E, em meio à confusão a respeito do destino da política federal quanto ao sistema de saúde, plano de saúde é o benefício mais desejado.[131]

Além de cuidar de seus funcionários e de seus familiares, excelentes lugares para trabalhar em geral demonstram cuidado também para com a comunidade ao seu redor.[132] Muitos dos serviços promovidos pelas Melhores Empresas são desempenhados localmente, mas muitas empresas também os estendem para outros lugares do mundo. A rede de lojas de sapato belga Torfs é um bom exemplo disso. Com seiscentos colaboradores, ela está na lista das Melhores Empresas da Europa e tem ajudado crianças desfavorecidas em países mais pobres, entre as quais um grupo de estudantes do Nepal. Funcionários da Torfs "adotaram" essas 31 crianças, e alguns deles viajaram ao vilarejo Sekha, no Nepal, para trabalhar diretamente com os líderes da comunidade.

Quando o Nepal sofreu um grande terremoto em abril de 2015, os funcionários da Torfs ficaram angustiados do outro lado do mundo. Eles organizaram uma campanha de arrecadação de fundos nas lojas. Isabel van Goethem, funcionária do marketing da Torfs, criou um blog no site da empresa sobre como os seus filhos estavam ansiosos por notícias de Nikesh, uma das crianças "adotadas" pela Torfs no Nepal, depois do terremoto. "A devastação foi enorme, como vemos imagens no noticiário e também nas fotos tiradas pelos nossos amigos nepaleses", escreveu Van Goethem. "Estou com o coração na mão."

A ansiedade foi aliviada quando os funcionários da Torfs ficaram sabendo que as crianças nepalesas com as quais tinham formado laços em Sekha haviam sobrevivido ao terremoto e aos abalos sísmicos posteriores. O incidente retrata a maneira como os Great Places to Work For All constroem um mundo mais acolhedor e o reverberam. Funcionários, seus familiares e a comunidade próxima e distante podem se conectar, cuidar e tratar bem uns aos outros.

### JUSTIÇA EM MARCHA

Great Places to Work For All possuem um impacto semelhante no que diz respeito à justiça no ambiente de trabalho – a segunda maneira mais importante de se contribuir para um mundo melhor.

O efeito da justiça começa com a devoção dos líderes ao tratamento equânime de seus funcionários. A justiça é um conceito simples, mas não é fácil de ser alcançada

– especialmente em organizações grandes e complexas. Uma abordagem justa com relação a salários, promoções e outras questões não significa necessariamente que todos devam receber o mesmo tratamento, já que há diferentes níveis profissionais e de responsabilidade.

Ainda assim, as Melhores Empresas progrediram significativamente ao longo dos últimos 20 anos no quesito uniformidade. A classificação da justiça em seus ambientes de trabalho aumentou em 22% entre os funcionários das 100 Melhores Empresas entre 1998 e 2017, ultrapassando as outras quatro dimensões que mensuramos – respeito, credibilidade, orgulho e camaradagem.

As Melhores Empresas são pioneiras na correção de desníveis salariais relacionados a gênero. Os seus esforços fazem parte de um quadro maior, que mostra que excelentes lugares para trabalhar se opõem a disparidades salariais por estas serem corrosivas para a sociedade. É claro que os CEOs das Melhores Empresas recebem pagamentos com frequência na casa dos milhões de dólares. Mas essas organizações demonstram limitações em seus pagamentos a executivos que raramente são vistas em outras grandes companhias.

Em um estudo de 2016 em parceria com a empresa de pesquisa Equilar, descobrimos que o salário médio dos CEOs nas empresas de capital aberto da lista das 100 Melhores são 19% mais baixos do que os dos CEOs dos ativos no S&P 500 (8,3 milhões por ano x 10,3 milhões por ano).[133] Em outras palavras, os CEOs de excelentes lugares para trabalhar são muito bem pagos, mas estão mais dispostos do que os seus pares de outras companhias a compartilhar os ganhos com a equipe toda.

De fato, a percepção entre os funcionários de que eles são pagos de maneira justa aumentou nos últimos vinte anos nas 100 Melhores. Cresceu em 22%, de modo que, em 2017, quase quatro entre cinco funcionários acreditavam que os seus salários eram justos.

Para além da justiça salarial, excelentes lugares para trabalhar estão promovendo uma sociedade que trata todos os seus membros de forma equânime. Sim, entre as muralhas das excelentes empresas, há grupos que não partilham da mesma experiência positiva que outros. Mas as Great Places to Work estão progredindo. Por exemplo, o número de funcionários que afirmam que são tratados de maneira justa independentemente de sua etnia subiu 10%, chegando a 95%, enquanto a crença em um tratamento equânime independente do gênero saltou 12%, alcançando 93%. Não medimos tendências relacionadas a funcionários que se identificam como LBGTQ em 1998, mas, em 2017, 96% deles trabalhando nas 100 Melhores Empresas afirmaram que são tratados com justiça independentemente de sua orientação sexual. E, como já abordamos, líderes das Melhores Empresas, como Beth Brooke-Marciniak da EY e Tim Ryan da PwC, estão se manifestando na esfera pública para incentivar uma sociedade mais inclusiva, bondosa e justa.

Great Places to Work For All não estão promovendo uma justiça maior apenas nos Estados Unidos. O seu impacto é global. A expansão da rede Marriott na Índia em 2001 é um bom exemplo disso.

A maior parte dos hotéis indianos àquela época esperava que os seus funcionários trabalhassem seis dias por semana. A Marriott desafiou essa tendência ao baixar a jornada para deixá-la mais próxima da dos países desenvolvidos. Estabeleceu uma semana de cinco dias e meio, o que na prática significou que a equipe tiraria dois dias inteiros de folga a cada duas semanas.

Rajeev Menon, chefe de operações da Marriott na região da Ásia-Pacífico (excluindo a grande China), lembra que a decisão causou comoção no setor hoteleiro, com alguns líderes declarando que essa era uma política insustentavelmente generosa. Mas a Marriott manteve a sua filosofia de "Pessoas em primeiro lugar", acreditando que, ao cuidar bem dos funcionários, estes cuidarão bem dos clientes. Esse etos iluminado só impulsionou o progresso da empresa no sul da Ásia (que abrange Índia, Sri Lanka, Bangladesh, Maldivas e Nepal). Ao longo dos últimos onze anos, a Marriott abriu oito hotéis na região e planeja abrir outros dezessete nos próximos anos.[134] E concorrentes também reverteram o curso da jornada de trabalho. "Uma parte da concorrência seguiu a nossa iniciativa", diz Menon.

Não apenas a Marriott elevou os parâmetros de trabalho na Índia, como desafiou a elite do seu setor. A empresa se recusou a seguir a tradição hoteleira na Índia, que ditava que funcionários deveriam comer em um refeitório enquanto os altos executivos desfrutam de uma sala de refeições própria. "Dissemos que teríamos um refeitório para todos, de gerentes gerais a terceirizados", Menon recorda.

Essa é a cara de um mundo mais justo. Onde arrumadeiras e operários indianos dividem o pão com líderes executivos; onde as pessoas que há muito tempo têm se sentindo excluídas por gênero, cor, etnia ou orientação sexual são convidadas a sentar à mesa; onde as pessoas recebem salários de maneira equânime.

Embora boa parte do mundo enxergue um campo de batalha em favor dos mais poderosos, excelentes lugares para trabalhar estão tentando reverter isso – e para o benefício de todos.

### UMA TORTA MAIOR PARA TODOS

Um mundo mais justo está relacionado ao terceiro caminho pelo qual Great Places to Work For All estão tornando o mundo melhor: por meio da prosperidade compartilhada.

Acabamos de discutir a prática de salários equitativos. Mas não estamos falando somente de uma torta que é fatiada e distribuída. Estamos falando de aumentar o tamanho dessa torta – aumentar muito. Como vimos, empresas com uma cultura de alta confiança crescem mais rapidamente, e culturas For All aceleram esse crescimento. Se você se lembra do primeiro capítulo, companhias dos primeiros 25% do ranking For All desfrutam de um crescimento três vezes maior do que o de companhias do último quarto da lista.

Você talvez possa argumentar que empresas que crescem rapidamente não são indicativas de prosperidade nem para o país, nem para o mundo. Afinal o sucesso de um negócio pode significar a falência de outros e a perda de muitos empregos. Mas o ingrediente-chave de excelentes lugares para trabalhar – a confiança – tem mostrado ser uma espécie de tônica econômica em grande escala. "Great Workplaces" dependem de líderes e de funcionários que desenvolvam relações de confiança. Como vimos, cuidar de pessoas e desenvolver uma lógica de confiança nos outros é uma postura que tende a transbordar para fora do ambiente de trabalho. Pessoas nessas organizações acreditam mais umas nas outras e em suas comunidades também. E é precisamente quando as sociedades vivem em um "raio de alta confiança" – quando até mesmo estranhos tendem a dar uns aos outros o benefício da dúvida – que o desempenho econômico melhora em nível nacional.[135]

O economista Kenneth Arrow, vencedor do Prêmio Nobel, explica da seguinte forma: "Supostamente, toda transação financeira tem em si um elemento de confiança, certamente todas as transações conduzidas durante um determinado período de tempo. Pode-se argumentar, de forma plausível, que muito do atraso econômico do mundo pode ser explicado pela falta de confiança mútua".[136]

As empresas, sozinhas, não têm como garantir que todas as pessoas de um país ou do mundo compartilharão de um progresso econômico, sobretudo durante tempos turbulentos. Mas vemos as Melhores Empresas fazendo algo importante, que ajuda as pessoas ao menos a se prepararem para os altos e baixos: elas treinam os seus funcionários. Como já foi mencionado, a média de horas dedicadas a treinamento e desenvolvimento nas 100 Melhores Empresas da lista de 1998 era de 35 horas anuais. Esse número cresceu para mais de 58 horas para funcionários pagos por hora e para 65 horas entre assalariados.

O grande esforço da AT&T para atualizar a sua mão de obra é um sinal da forma como as Melhores Empresas ajudam os seus funcionários a continuar sendo colaboradores valiosos. O CEO Randall Stephenson retrata a oferta de treinamentos como um pacto econômico maior. "Trata-se de um novo contrato, um contrato social", diz Stephenson. "O mundo está mudando rapidamente. Se quiser acompanhar, nós lhe daremos as ferramentas para isso e tudo de que você precisa para se equipar para o futuro."

Great Places to Work encorajam um senso de prosperidade compartilhada que vai além apenas do dinheiro. Ajudam um número cada vez maior de pessoas a sentirem que estão compartilhando de uma boa vida. Para ilustrar isso, citamos a Liderman, a empresa peruana de serviços de segurança. A maior parte dos funcionários da Liderman é composta por seguranças que ganham um salário de quatrocentos dólares por mês. Em geral, são moradores da periferia de Lima. Os líderes da Liderman observaram que muitos desses colaboradores moravam em casas sem banheiros decentes; eles e suas famílias tinham de usar ou banheiros fora de casa ou usar métodos precários e desagradáveis. A empresa, então, concebeu uma política de empréstimos sem juros para que eles pudessem reformar as suas casas, em geral construindo banheiros melhores. Os funcionários da Liderman ficaram tão orgulhosos dessa melhora promovida por sua empresa que postaram fotos de "antes" e "depois" dos projetos on-line.

Um bom banheiro é um sinal importante do compartilhamento de confortos modernos. Na verdade, a Liderman está ajudando as pessoas de origem modesta, em empregos – de segurança – que historicamente não têm tanto prestígio, a compartilharem da dignidade gerada pelo progresso econômico e da prosperidade que ele trouxe à espécie humana. Hoje, a economia global em geral exclui uma parte das pessoas. Mas os Great Places to Work For All procuram fazer a sua parte.

## EMPODERANDO INDIVÍDUOS

Assim como promovem uma prosperidade compartilhada, Great Places to Work For All também impulsionam oportunidades econômicas e empoderamento ao redor do globo. Essa é a quarta maneira usada para tornar o mundo um lugar melhor. As pessoas em geral desejam a habilidade de melhorar a sua vida econômica, e pais sempre almejam que os seus filhos consigam ir mais longe do que a geração anterior. Mas, em meio a disparidades financeiras cada vez maiores, muitas pessoas têm se mostrado céticas quanto à mobilidade econômica; quase dois terços das pessoas em países desenvolvidos pensam que os seus filhos ficarão em pior situação do que eles.[137] Barreiras para o progresso individual e uma crença cada vez mais enfraquecida no sistema econômico agravam fissuras sociais dentro dos países e globalmente, mas as Melhores Empresas estão se opondo a essa tendência. Estão libertando as pessoas para que elas possam progredir, empoderando-as economicamente.

Isso acontece, em parte, por meio dos comprometimentos extensivos com o treinamento que já abordamos. Outro exemplo nessa linha é a Elektro Eletricidade e Serviços, a distribuidora de energia que atua no Brasil. Quando Marcio Fernandes se tornou presidente da Elektro em 2011, ele incrementou os investimentos em desenvolvimento profissional na forma de novos planejamentos de carreira e opções de treinamento.

Tiago e Josiane Souza, profissionais casados e ambos eletricistas na Elektro, logo agarraram a chance de aprimorar as suas carreiras. Os dois se inscreveram em um curso de engenharia elétrica em uma universidade local. Josiane decidiu ir para a faculdade depois de notar que os colegas na Elektro estavam passando da posição de eletricistas para a de engenheiros elétricos – com o apoio da empresa.

"A Elektro me inspirou a buscar um diploma de Ensino Superior", diz ela. "Nunca pensei que eu fosse conseguir um. Vi que, quando estuda, a pessoa tem a oportunidade de crescer na empresa." Obter os seus diplomas de engenheiros será um marco na vida não apenas de Josiane e Tiago, mas também dos seus familiares – nenhum dos pais deles frequentou o ensino superior.

Outra forma de empoderamento econômico se dá pela habilidade de controlar o seu destino profissional. Ter autonomia para fazer o seu trabalho e participar das decisões da empresa. No último capítulo, vimos como as 100 Melhores vêm diminuindo a prática de microgerenciamento ao longo das últimas duas décadas. Também é verdade que a democracia no ambiente de trabalho melhorou nessas organizações.

Em 1998, apenas 64% dos funcionários disseram que as suas gerências permitiam que o pessoal se envolvesse nas decisões que afetariam os seus trabalhos. Esse número subiu para 77% em 2017. O aumento da quota de colaboradores nas 100 Melhores que dizem que os seus líderes genuinamente buscam as suas sugestões e respondem a elas é quase tão impressionante quanto. Trata-se de um aumento de 19%: são 82% de funcionários das 100 Melhores que sentem que as suas ideias são levadas em conta.

Uma das empresas que mais empoderam funcionários é a manufatureira W. L. Gore & Associates. Uma das diretrizes da Gore é a liberdade: "Nós incentivamos uns aos outros a aprimorar o conhecimento, a habilidade, a esfera de responsabilidades e a variedade de atividades. Acreditamos que os nossos colaboradores superam as expectativas quando dada a eles a oportunidade de fazer isso". Outro lema importante: "Não recebemos tarefas a cumprir; em vez disso, nós mesmos traçamos os nossos compromissos e os cumprimos". Com base nesses valores, a Gore permite que funcionários formem as suas equipes baseando-se em suas habilidades individuais de recrutar colegas para um projeto atraente. A Gore também permite que colaboradores avaliem os seus colegas de acordo com as suas contribuições à empresa – uma avaliação que ajuda a determinar os aumentos de salário.

Entre os funcionários da Gore que se beneficiaram dessa liberdade está Monika Fattorello, uma profissional de Recursos Humanos da filial italiana da multinacional. Fattorello pôde aperfeiçoar as suas paixões por comunicação e treinamento. Então, além de trabalhar no RH, ela também deu cursos de habilidades comunicacionais – sobre como líderes podem dar *feedbacks* eficazes, por exemplo – para os colegas da Gore na Itália, na Espanha e em outros países da Europa.

A experiência dela na Gore foi radicalmente diferente do que ela havia experimentado em seus três locais de trabalho anteriores. Em seus antigos empregadores, os gerentes tendiam a vê-la como se precisasse ser vigiada o tempo todo e como fundamentalmente defeituosa. "Antes do fim do expediente, eu precisava reportar o que tinha feito naquele dia, e eles me diziam o que eu havia feito de errado", ela conta. "Na Gore, os meus líderes confiam em mim."

## TRABALHANDO POR UMA SOLUÇÃO

Vimos como Great Places To Work For All estão combatendo problemas globais, como falta de confiança, ansiedade econômica e falta de oportunidade. Elas estão, de fato, fortalecendo o tecido social.

Em um cenário de diferenças cada vez acentuadas, as Melhores Empresas têm lutado por uma coesão social cada vez maior. Pense em como medidas como coleguismo, cuidado e solidariedade foram ficando mais presentes na lista das 100 Melhores ao longo dos últimos vinte anos (veja Figura 18). Em todas as categorias relacionadas à harmonia no ambiente de trabalho, as 100 Melhores como um todo apresentaram melhorias de pelo menos 10%.

As 100 Melhores representam uma fração da força de trabalho dos Estados Unidos. Mas não tão pequena assim: a lista de 100 Melhores da *Fortune* em 2017 abrangeu 2,3 milhões de funcionários. Além disso, não estamos falando de microempresas locais, em que todos os empregados podem se conhecer com facilidade. Estamos falando de grandes organizações, como Cisco, Genentech, PwC e Salesforce, que operam em nível nacional e, às vezes, global. A Whole Foods Market, a cadeia Marriott e a Edward Jones possuem filiais em vários estados americanos. As Melhores Empresas conseguiram fomentar o coleguismo em estados liberais e republicanos, com funcionários de diferentes etnias, nacionalidades e religiões, entre executivos e operários.

Figura 18
## Melhores Empresas fortalecem a sociedade

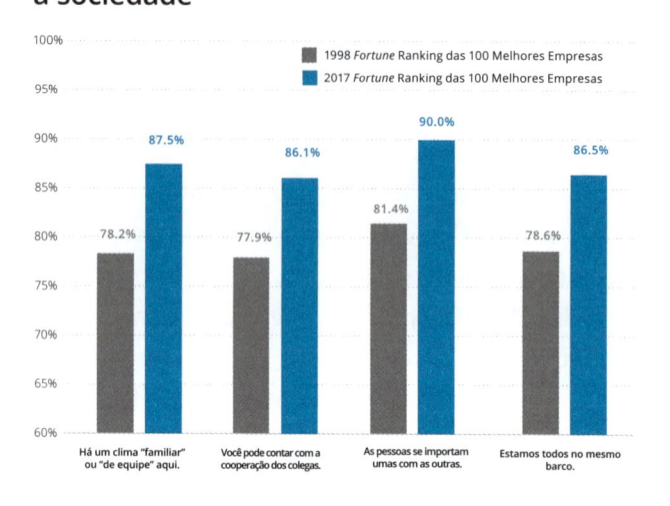

- 1998 *Fortune* Ranking das 100 Melhores Empresas
- 2017 *Fortune* Ranking das 100 Melhores Empresas

| | Há um clima "familiar" ou "de equipe" aqui. | Você pode contar com a cooperação dos colegas. | As pessoas se importam umas com as outras. | Estamos todos no mesmo barco. |
|---|---|---|---|---|
| 1998 | 78,2% | 77,9% | 81,4% | 78,6% |
| 2017 | 87,5% | 86,1% | 90,0% | 86,5% |

Fonte: Análise do Great Place to Work

E, somente nos últimos anos, as Melhores Empresas do topo da lista têm ido além e tentado desempenhar papéis também na esfera pública, manifestando-se em favor de uma sociedade unida e inclusiva. Elas estão respondendo ao chamado do relatório Edelman com relação ao aumento da suspeita em nível global: "Para reconstruir a confiança e restaurar a credibilidade no sistema, as instituições devem sair de seus papéis tradicionais e trabalhar para um novo modelo integrado de trabalho, que coloque as pessoas – e os medos expressos por elas – no centro de tudo que fizerem".[138]

## ELEVANDO TODOS

Será que as Melhores Empresas estão fazendo mais do que curar um mundo doente? Será que Great Places to Work For All têm o potencial de elevar a humanidade como um todo? Elevar a nossa consciência?

O livro *Reinventando as Organizações*, do escritor Frederic Laloux, defende que um novo nível de consciência humana está emergindo e, com ele, uma nova abordagem organizacional, mais sensível e não hierárquica. Antigo consultor empresarial, Laloux argumenta que as companhias de modelo tradicional, em que decisões são tomadas de cima para baixo e o foco em crescimento econômico é desmedido, mataram a nossa força de vontade e ameaçaram a nossa viabilidade como espécie. Mas ele vê um novo tipo de empresa se formando, que reflete o estágio verde-azulado (chamado de *teal* em inglês) de desenvolvimento da consciência humana. Isso está de acordo com o estágio mais alto de autoatualização tal qual descrito pelo psicólogo Abraham Maslow, no qual se abre mão do ego e do medo em favor da confiança. "Todas as sabedorias tradicionais postulam a verdade profunda de que há duas maneiras fundamentais de se viver: com base no medo e na escassez ou com base na confiança e na abundância", escreve Laloux.[139]

A sugestão de Laloux de que as empresas estão se movendo em direção a um quadro mais saudável e humanístico também está de acordo com outros teóricos da Sociologia que veem o curso da humanidade direcionado a um estado de maior cooperação.[140] Se for mesmo assim, os Great Places to Work For All estão no lado correto da história. Com muitas características "verde-azuladas" de descentralização, propósito e comunidade, essas empresas estão servindo de motor para elevar a força de vontade humana.

## UMA ALAVANCA PARA MUDAR O MUNDO

Seria ir longe demais chamar a NASA dos anos 1960 de Great Place to Work For All. Mas a agência desempenhou um papel na expansão de oportunidades no mundo, mesmo que as suas missões fossem espaciais. Pessoas do mundo todo torceram pelos astronautas da Apollo e se empolgaram diante dos passos dados por Neil Armstrong na Lua em 1969. Katherine Johnson, cujos cálculos ajudaram a tornar esse pequeno grande passo possível, também foi arrebatada por aquele momento. O nível de respeito que ela vivenciou na NASA, combinado com os desafios do seu trabalho e com o objetivo épico de ir além da atmosfera terrestre, tornaram o trabalho dela uma alegria.

"Eu adorava todo santo dia", declarou Johnson ao comentar a sua carreira de 33 anos. "Não havia um só dia em que eu não acordasse animada para ir trabalhar."[141]

Infelizmente, a maioria não se sente assim com relação aos seus empregos. No local de trabalho, as pessoas em geral se sentem estagnadas, estressadas e apáticas diante das sementes separacionistas que são cultivadas ali. Mas, pensando bem, que impulso melhor teria para nos elevar como espécie? É no trabalho que as pessoas passam a maior parte do seu tempo. E se, todos os dias, todo mundo passasse por uma experiência acolhedora, justa, estimulante, com um propósito claro, assim como passam aquelas que trabalham em excelentes lugares? O tipo de ser humano formado por uma organização excelente pode, potencialmente, solucionar problemas aparentemente intratáveis: lutas geradas por sectarismo, conflitos armados, pobreza contínua, doenças desafiadoras. Poderíamos alcançar o nosso potencial como humanidade.

Essencialmente, é essa a nossa missão no GPTW. Estamos trabalhando para construir um mundo melhor ao ajudar organizações a se tornarem Great Places to Work For All. Para fazer isso, precisamos que líderes organizacionais se juntem a nós. Líderes dispostos e capazes de criar uma excelente experiência de trabalho para todos, independentemente de quem sejam e do que façam na empresa. Chamamos esse tipo de líder de For All. No próximo capítulo, apresentamos as nossas novas pesquisas de como você pode se tornar um.

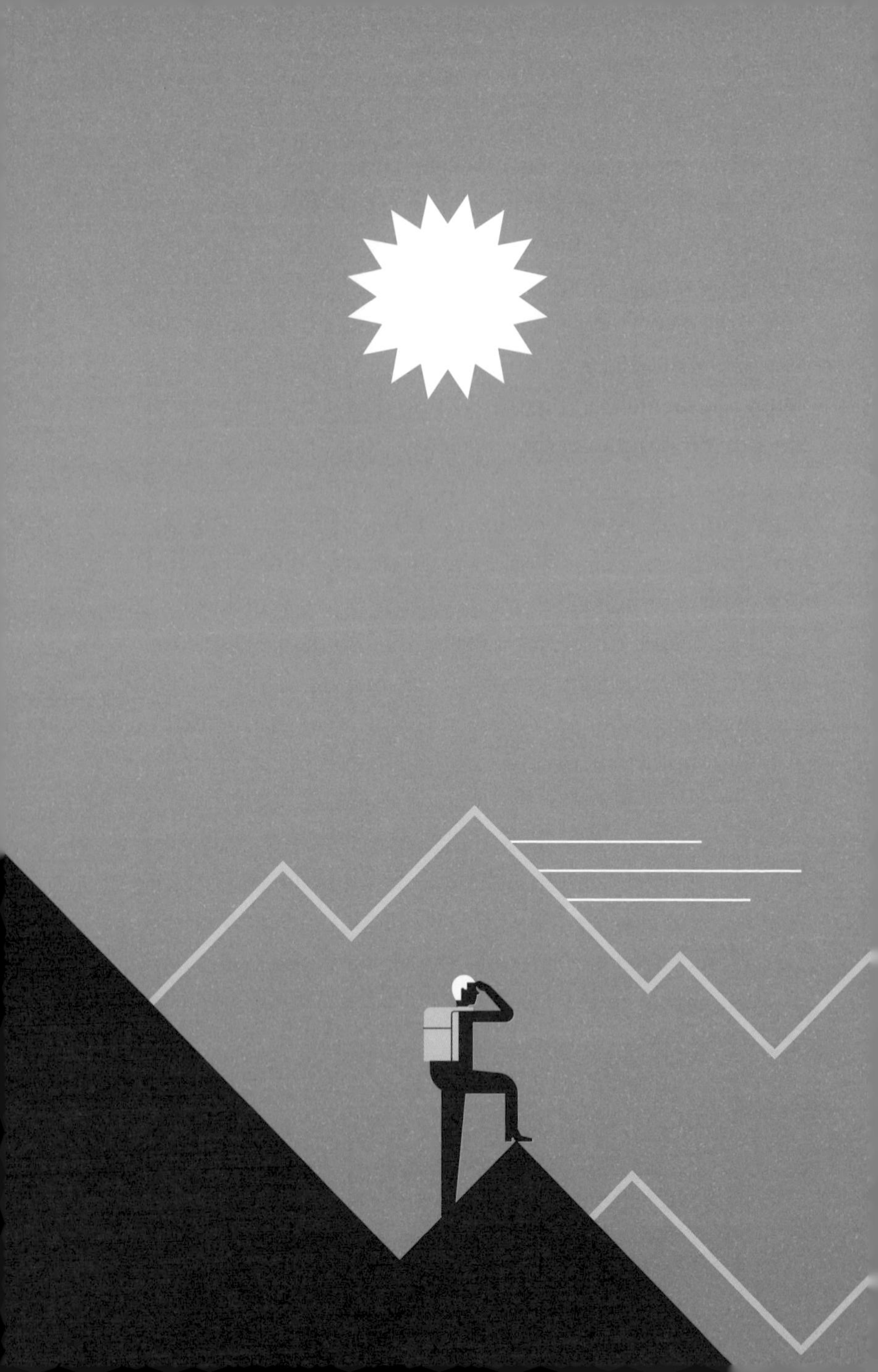

**Parte 3**

# Rumo a uma liderança For All

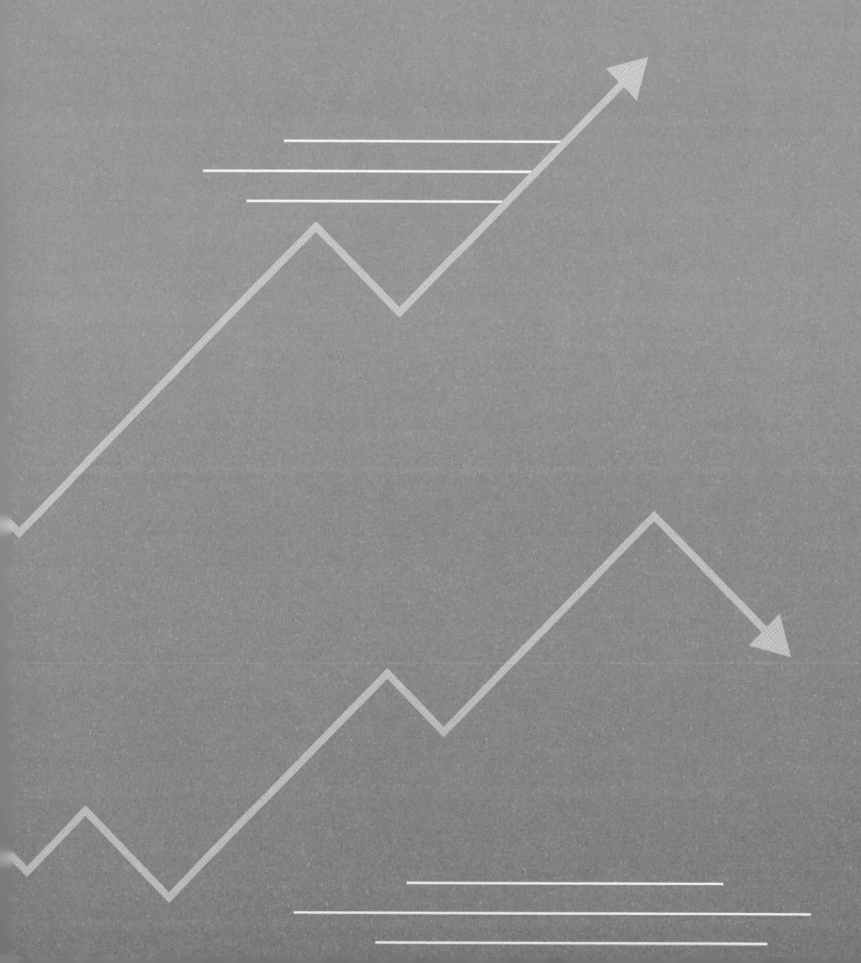

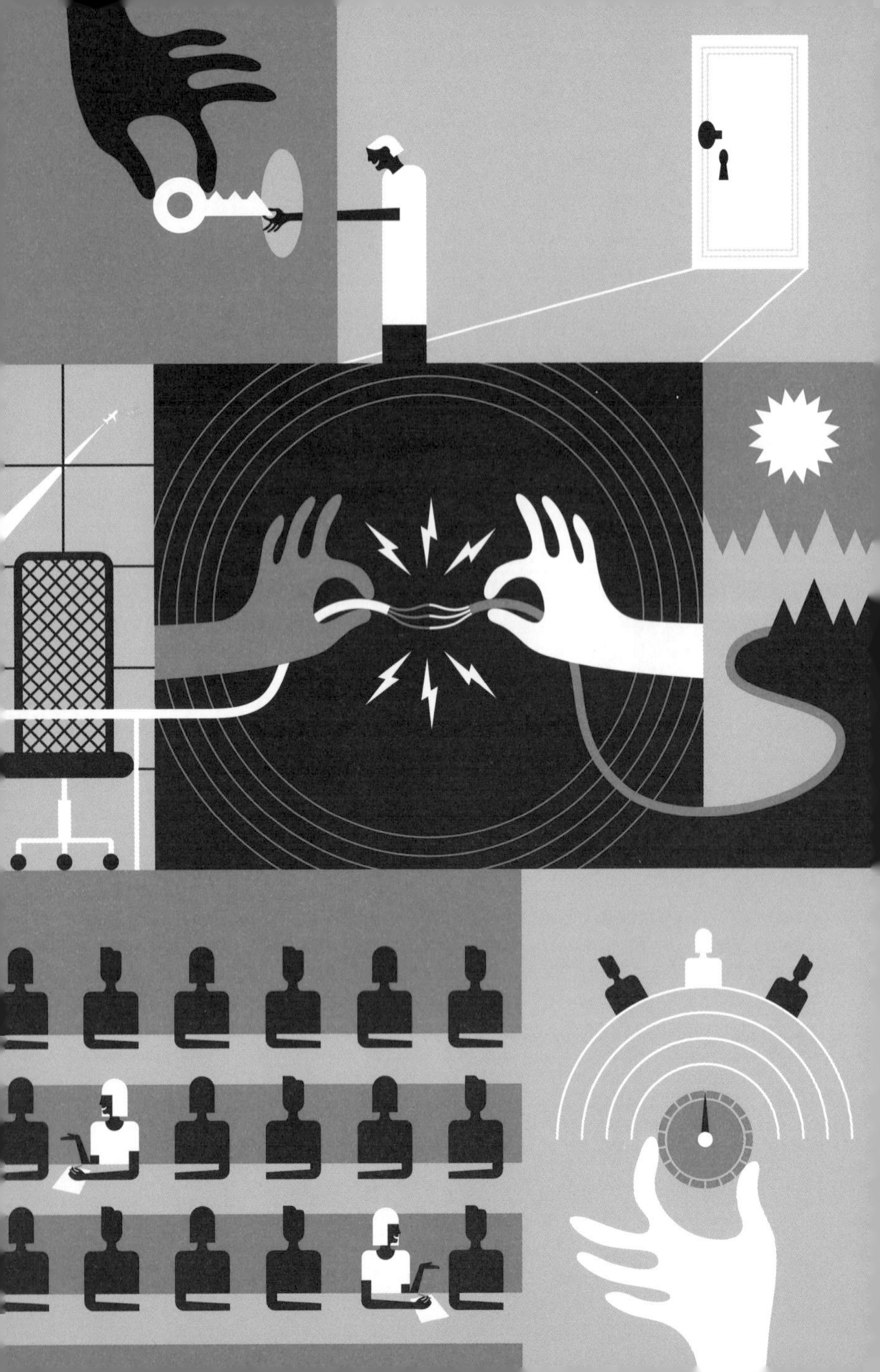

**CAPÍTULO 7**

# Liderança para um Great Place to Work For All

**Definimos os comportamentos-chave de liderança para construir um Great Place to Work For All, baseados na nossa mais recente pesquisa de eficácia na liderança.**

## QUEM É O LÍDER FOR ALL?

Até este ponto, os capítulos deste livro apresentaram uma noção geral do "superlíder" For All. Alguém que lidere com a humildade dos campeões da NBA Steve Kerr e Steph Curry e com a autenticidade de Beth Brooke-Marciniak, da EY, uma das CEOs mais seniores do mundo a se assumir homossexual. Um líder que tenha a agilidade de conduzir uma organização de mais de 260 mil funcionários em direção ao futuro da tecnologia, como Randall L. Stephenson, da AT&T. Um líder que tenha a coragem de dizer o que nunca foi dito antes na esfera empresarial sobre questões étnico-raciais – e que inspira outros a fazerem o mesmo – como Tim Ryan, da PwC. Um líder que esteja disposto a gastar seis milhões de dólares (no mínimo) para criar um equilíbrio salarial maior entre os seus funcionários como o fez Marc Benioff, da Salesforce; que lidere com dignidade e respeito cada um, como Arne Sorenson, CEO da Marriott International. Um líder disposto a abandonar o *statu quo* para abrir ainda mais as portas na indústria tecnológica, como Heather Brunner, CEO da WP Engine.

Um líder For All sonda entre todos os funcionários de sua empresa para obter a próxima grande ideia; coloca os valores em primeiro lugar, sobretudo diante da adversidade. Constrói conectividade nas equipes e entre equipes; ajuda a inspirar um senso de propósito e de orgulho nos funcionários; eleva o seu pessoal para que alcance tudo que se sente capaz de alcançar, e além. Admitimos: é pedir muito.

Embora pareçam excessivamente nobres, esses exemplos jogam luz sobre o que é possível, apontando para as qualidades fundamentais que líderes precisam cultivar no cenário de negócios emergente. No novo mundo do trabalho, a transparência vem acima das decisões a portas fechadas, e a conectividade e o acolhimento passam por cima da atividade "eu primeiro", enquanto o propósito atropela o lucro. O potencial humano é o que manda no jogo atual; justiça é a diretriz, e as companhias mais inclusivas largam na frente. E a boa notícia é que todos podem jogar, independentemente do tamanho da empresa e do ramo em que trabalha. A Mayvenn, Inc., que oferece um sistema operacional móvel para que cabeleireiros vendam extensões de cabelo, foi reconhecida como uma das Melhores Pequenas e Médias Empresas de San Francisco Bay Area. O seu CEO, Diishan Imira, começou essa companhia de propósito claro com o objetivo de devolver um pouco do lucro da indústria multibilionária de extensões de cabelo à comunidade que as adquire.

Imira disse o seguinte "Cabeleireiros são as pessoas mais importantes para nós. Quero dar a eles o reconhecimento que merecem. Até meados de julho de 2017, tínhamos criado 55 mil novos empreendedores cuja fonte de faturamento, que se encontra em franco crescimento, vem de nós". Com comprometimentos como "valorize todos os seus clientes e invista na sua comunidade", 100% dos 38 funcionários da Mayveen afirmam que a empresa é um excelente lugar para trabalhar.[142]

Ou, veja a GoFundMe, especializada em captação de fundos e reconhecida como Melhor Empresa. Consideram como um excelente lugar para trabalhar 100% dos seus 143 funcionários.[143] Ali, o CEO Ron Soloman é "movido pelo objetivo de promover um impacto real e significativo no mundo, alavancando tecnologia e compaixão humana para dar uma mãozinha".[144]

Estes exemplos singulares podem parecer pouco, mas, coletivamente, pequenas empresas representam uma grande fatia dos negócios nos Estados Unidos e da experiência no trabalho correspondente a essa fatia. Pequenas empresas (com quinhentos funcionários ou menos) representam 99,7% de empregadores nos Estados Unidos e empregam quase metade da mão de obra do país.[145] É crucial que líderes de todos os ramos de negócios entendam que os ideais For All se aplicam a todos eles. Ser um líder em um excelente lugar para trabalhar não tem a ver com o tamanho ou os recursos da sua empresa, tem a ver com como você trata as pessoas que trabalham ali. E, como nós já vimos, tratar bem o seu pessoal traz muitas vantagens. Quando líderes são mais inclusivos, mais inspiradores e mais acolhedores, eles largam na frente em aspectos como retenção da equipe, inovação e aumento do faturamento. Como já foi mencionado, concluímos que funcionários, em uma cultura de alta confiança, se sentem acolhidos em seu local de trabalho e são 44% mais propensos a trabalhar em uma empresa com faturamento maior que a média de mercado.[146] Essas são razões bem fortes para levar o lado mais "sentimental" a sério.

Os dados estão aqui, e seria bom para todo mundo se líderes se autoavaliassem com cuidado do ponto de vista desse novo parâmetro – o parâmetro For All.

## O MODELO DE LIDERANÇA FOR ALL

Dissemos que apenas 15% do um bilhão de trabalhadores integrais do mundo são comprometidos com o que fazem. Como Jim Clifton, presidente e CEO da Gallup, observou astutamente, "funcionários de todo lugar não necessariamente odeiam a companhia ou organização para a qual trabalham tanto quanto odeiam os seus chefes. Funcionários – especialmente as estrelas – entram para a empresa, mas depois largam o seu gerente".[147]

Um Great Place to Work For All deve ter excelentes gerentes For All. Como foi descrito no terceiro capítulo, a onipresença de excelentes gerentes em uma empresa depende de uma equipe executiva diversificada que dê o exemplo de como construir conexões humanas significativas enquanto também cuida de operações e análises. Com uma equipe de liderança eficaz no leme, gerentes da organização inteira estarão mais bem equipados para promover um Great Place to Work For All para os funcionários.

Mas que práticas de liderança no dia a dia farão isso acontecer? Para entender como gerentes estão liderando as suas equipes na direção de um Great Place to Work For All, cavamos entre os nossos dados recolhidos em centenas de empresas ao longo dos anos. A nossa análise cobriu uma parcela robusta de 75 mil funcionários e mais de dez mil gerentes trabalhando nos EUA em ramos como comércio, hospitalidade, manufatura, tecnologia, finanças e saúde. Revisamos as classificações dadas pelos colaboradores com relação aos seus locais de trabalho, assim como os seus comentários sobre seus gerentes. Na análise, procuramos padrões e traços que diferenciassem os excelentes líderes dos nem tão bons assim.

Baseados nas avaliações dos funcionários e em seus comentários, nós identificamos cinco níveis distintos de liderança, que caracterizamos em perfis baseados nas características mais notáveis.

- Nível 1: O líder inconsciente
- Nível 2: O líder aleatório
- Nível 3: O líder transacional
- Nível 4: O bom líder
- Nível 5: O líder For All

Juntos, eles representam o modelo de liderança For All. A cada nível de liderança, uma porcentagem maior de funcionários relata uma experiência mais consistentemente excelente no trabalho. Movendo-se de nível em nível, também encontramos melhorias a serem feitas em áreas como inovação, produtividade, retenção de colaboradores e agilidade organizacional.

A nossa pesquisa mostra que, embora líderes For All se sobressaiam com relação aos outros no que diz respeito a confiança, orgulho e camaradagem no ambiente de trabalho, as diferenças mais dramáticas são as seguintes:

- Trabalham com as equipes, coletando sugestões do seu pessoal e envolvendo-o nas decisões.
- Oferecem reconhecimento às pessoas, chamando a atenção para as suas conquistas e ajudando-as a evoluírem em suas carreiras.
- São tipos que as pessoas querem seguir, pois elas consideram sua liderança competente, honesta e confiável.

Nessas três áreas, as diferenças mostradas pela nossa pesquisa entre os melhores e os piores líderes é notável. Funcionários que identificam os seus líderes como For All são até oito vezes mais propensos a lhes dar notas altas nas áreas descritas acima, quando comparados a funcionários com gerentes do primeiro nível.

Os resultados em retenção de colaboradores, produtividade, inovação e agilidade vão aumentando exponencialmente de nível em nível também. Quando comparamos funcionários sob a liderança de um líder nível 1, inconsciente, àqueles sob a liderança de um líder de nível 5, For All, a melhora é particularmente dramática. Funcionários de líderes For All demonstraram:

- 353% mais produtividade;
- 300% mais agilidade;
- 325% mais disposição à inovação;
- 128% mais vontade de permanecer no emprego.

Figura 19
## Líderes que se alinham obtêm resultados

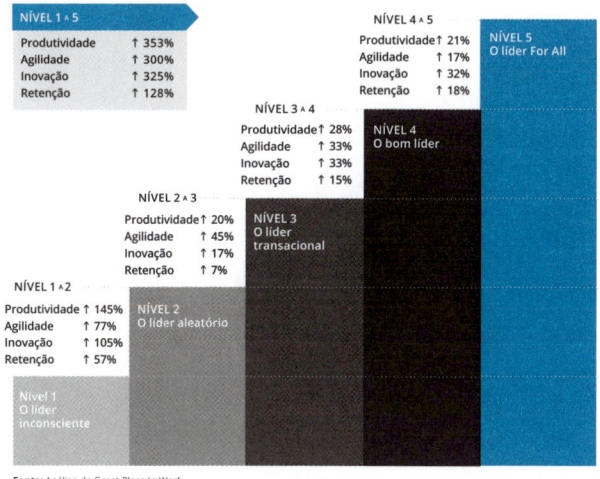

| NÍVEL 1 ^ 5 | | | | | |
|---|---|---|---|---|---|
| Produtividade ↑ 353% | | | | NÍVEL 4 ^ 5 | NÍVEL 5 |
| Agilidade ↑ 300% | | | | Produtividade ↑ 21% | O líder For All |
| Inovação ↑ 325% | | | | Agilidade ↑ 17% | |
| Retenção ↑ 128% | | | | Inovação ↑ 32% | |
| | | | | Retenção ↑ 18% | |
| | | | NÍVEL 3 ^ 4 | | |
| | | | Produtividade ↑ 28% | NÍVEL 4 | |
| | | | Agilidade ↑ 33% | O bom líder | |
| | | | Inovação ↑ 33% | | |
| | | | Retenção ↑ 15% | | |
| | | NÍVEL 2 ^ 3 | | | |
| | | Produtividade ↑ 20% | NÍVEL 3 | | |
| | | Agilidade ↑ 45% | O líder transacional | | |
| | | Inovação ↑ 17% | | | |
| | | Retenção ↑ 7% | | | |
| | NÍVEL 1 ^ 2 | | | | |
| | Produtividade ↑ 145% | NÍVEL 2 | | | |
| | Agilidade ↑ 77% | O líder aleatório | | | |
| | Inovação ↑ 105% | | | | |
| | Retenção ↑ 57% | | | | |
| Nível 1 O líder inconsciente | | | | | |

**Fonte:** Análise do Great Place to Work

Embora nem todos os líderes sejam capazes de evoluir do involuntário ao For All, vale a pena tentar saltar de um nível a outro. Até pequenas melhorias têm um impacto positivo na empresa e nas pessoas que trabalham nela. Por exemplo, funcionários com um líder de nível 2 são 60% mais propensos a ter uma experiência positiva no trabalho do que os que têm um líder de nível 1. Também demonstram um aumento de 105% na inovação e uma melhoria de 145% na produtividade. A Figura 19 mostra melhorias nessas áreas de nível em nível.

Figura 20
## O modelo de liderança For All

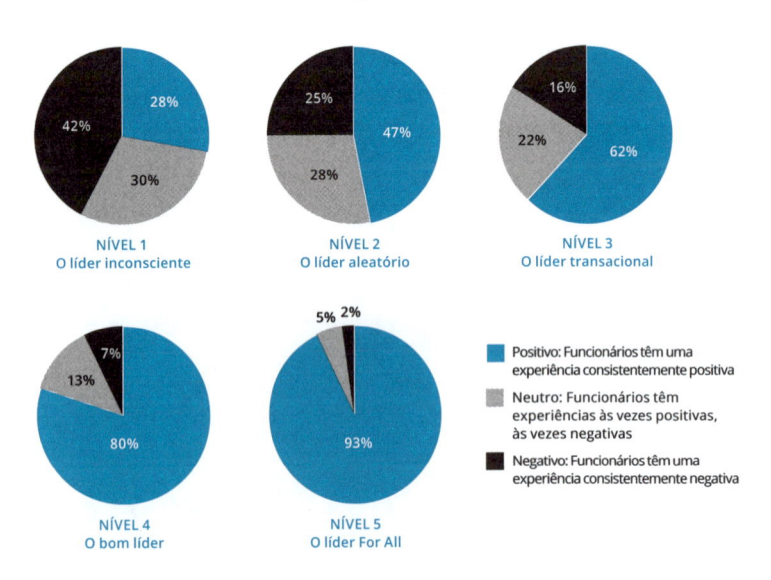

**NÍVEL 1**
O líder inconsciente
- 28%
- 30%
- 42%

**NÍVEL 2**
O líder aleatório
- 47%
- 28%
- 25%

**NÍVEL 3**
O líder transacional
- 62%
- 22%
- 16%

**NÍVEL 4**
O bom líder
- 80%
- 13%
- 7%

**NÍVEL 5**
O líder For All
- 93%
- 5%
- 2%

- Positivo: Funcionários têm uma experiência consistentemente positiva
- Neutro: Funcionários têm experiências às vezes positivas, às vezes negativas
- Negativo: Funcionários têm uma experiência consistentemente negativa

**Fonte:** Análise do Great Place to Work

Quando colocamos esses resultados no contexto de cada um dos cinco perfis de liderança, as razões para essas diferenças ficam claras.

As tortas apresentadas na Figura 20 mostram as porcentagens de funcionários que relataram ter uma boa experiência com os seus gerentes, as suas equipes e com o local de trabalho como um todo, separadas pelo tipo de líder que eles têm.

Nos cinco gráficos:

- **Azul** representa a porcentagem de funcionários que relatam uma experiência consistentemente positiva com o seu gerente, a sua equipe e o ambiente de trabalho como um todo. Sob um líder For All, 93% dos funcionários relatam ter uma experiência consistentemente excelente no trabalho; esse número cai para apenas 28% entre os que trabalham para um líder inconsciente.
- **Cinza** representa a porcentagem de funcionários que relatam uma experiência às vezes positiva e às vezes negativa. Sob o líder For All, apenas 5% destes relatam essa experiência relativamente neutra; sob o líder inconsciente, esse número salta para 30%.
- **Preto** representa a porcentagem de funcionários que relatam uma experiência consistentemente negativa no trabalho. Sob o líder inconsciente, 42% dos funcionários têm uma experiência negativa com

os seus gerentes, suas equipes e o ambiente de trabalho como um todo; sob um líder For All, esse número despenca para 2%.

Observando os gráficos, é fácil ver o que queremos dizer com um líder For All. Mais de nove entre dez funcionários com esse tipo de líder veem o seu local de trabalho como um Great Place to Work, quase o tempo todo. Nessas equipes, há mesmo um Great Place to Work – For All.

### MAPEANDO A JORNADA DA LIDERANÇA

Agora mergulharemos mais profundamente em cada perfil, examinando como os diferentes estilos de liderança afetam as pessoas e as organizações nas quais elas trabalham. Observando os comportamentos específicos associados a cada tipo de líder, podemos ver que mudanças os permitiriam subir de nível.

### NÍVEL 1: O LÍDER INCONSCIENTE

**Experiência comum entre funcionários:**
"Eu não ganho o suficiente para aguentar isso!"

É fácil localizar o líder inconsciente. Estes são os líderes que não parecem conscientes de seu impacto sobre os outros, então o seu comportamento pode magoar as pessoas com as quais eles trabalham, assim como prejudicar a organização. Com frequência, eles não conseguem inspirar confiança. Funcionários que se reportam a um líder inconsciente podem se sentir como passageiros em um ônibus cujo motorista tem um destino em mente, mas não o compartilha com os passageiros.

Ninguém quer ser um líder inconsciente. Pessoas acabam nesse papel por variadas razões, entre as quais aquelas pelas quais não são responsáveis. Talvez fossem tão excelentes em seus trabalhos que acabaram promovidas para supervisionar os colegas que fazem o mesmo tipo de trabalho – e não recebem nenhum treinamento de liderança. Talvez tenham habilidades técnicas fantásticas, mas não têm as características que um líder precisa ter para inspirar e motivar pessoas. Pode ser que estejam lidando com problemas de saúde, vícios, crises familiares ou outras questões pessoais que prejudicam a sua habilidade de mostrar o seu melhor no trabalho. Pode ser que acreditem, equivocadamente, que liderar significa agir como um sargento em exercício: gritar ordens e manter a compaixão e a humanidade de lado.

"Não estou dizendo que ela é uma gerente horrível", uma funcionária diz de sua líder inconsciente. "Mas que ela precisa relaxar um pouco às vezes e conversar com a gente sem gritar nem ficar nervosa." Outro diz: "Quando faço uma pergunta ou expresso uma preocupação, (meu gerente) me faz sentir como um idiota por ter tido a dúvida".[148]

Como se pode esperar, funcionários sentem que trabalhar para um líder inconsciente é desanimador e que isso afeta a sua produtividade, o trabalho em equipe e a rotatividade. De acordo com a nossa pesquisa, quase três quartos (72%) das pessoas que trabalham para um líder inconsciente não têm uma experiência consistentemente positiva no trabalho. Quando comparadas àquelas sob uma liderança nível 2, as equipes que se reportam a um líder de nível 1 são 59% menos propensas a dar tudo e mais um pouco ao trabalho que fazem. São também 36% menos propensas do que funcionários trabalhando para líderes de nível 2 a dizer que querem permanecer no emprego atual. Manter um líder inconsciente na equipe prejudica as finanças da organização no longo prazo, pois há uma rotatividade voluntária maior (especialmente de altos talentos) que afeta diretamente o faturamento. É possível retomar o exemplo da Uber, cujo antigo CEO foi gravado usando palavrões com um motorista de Uber e que sofreu a acusação de negligência por uma ex-engenheira da companhia, em um caso reportado por ela de assédio sexual. O prejuízo que resultou desses incidentes impactou a empresa como um todo, com centenas de milhares de clientes aderindo à campanha #DeleteUber. No fim das contas, com base nesses e em outros erros flagrantes de liderança, a diretoria se deu conta de que Kalanick não poderia permanecer como CEO, o que causaria ainda mais prejuízo para a companhia que ele fundou.

## VOCÊ DEVE SER UM(A) LÍDER INCONSCIENTE SE...

- Separa "funcionários" de "pessoas", com vidas inteiras e complexas.
- Leva o crédito por trabalho que não fez.
- Oculta informações dos funcionários diretos.
- Está consumido(a) demais por preocupações pessoais que não consegue se importar com o trabalho.
- Não promoveu mudanças depois de receber *feedback* negativo relacionado à gestão de pessoas.
- Revela as suas frustrações elevando o tom de voz ou sendo pessoal na sua crítica aos outros.

## ALINHANDO-SE

As notícias para o líder inconsciente não são tão ruins. Pequenas mudanças podem resultar em melhora suficiente para ascender ao próximo nível – com impacto positivo excelente para a empresa e os colaboradores. Entre essas mudanças estão passar por um treinamento de liderança, agir de forma mais acessível ou fazer um esforço para colaborar com os funcionários mais frequentemente. Adotar uma atitude mais aberta e acolhedora pode dissolver os medos dos funcionários e as suas animosidades, que podem ser transformadas no aumento da confiança que sentem nas habilidades de seu gerente. Também pode mudar o ambiente tóxico, permitindo que pessoas foquem menos em terminar o dia e mais na tarefa que estão fazendo, tornando menos provável que elas queiram encontram outro trabalho.

Mas a organização não pode ir além disso. Se um líder inconsciente for um excelente executor, mantê-lo em um cargo de liderança prejudicará os negócios. No longo prazo, a empresa deve tentar oferecer um pequeno intervalo para que mostre se pode melhorar – um período probatório de trinta dias, por exemplo – e colocar um fim à relação ou retirar as suas responsabilidades de liderança caso não haja melhora.

## NÍVEL 2: O LÍDER ALEATÓRIO
**Experiência comum entre funcionários:**
"Tem alguém aí?"

O líder aleatório não é horrível – ao menos não o tempo todo, e não para todos que trabalham com ele. E aí é que está o problema com esse tipo de líder: ele é imprevisível; uma hora está ligado e, na outra, desligado; uma hora é frio e, na outra, é um bom amigo ou aliado para alguns, mas não para todos. Diferentemente do líder inconsciente, ele não prejudica propriamente a organização, mas também não apoia ativamente a sua equipe para que ela desempenhe as suas responsabilidades à altura do que a empresa precisa. Um líder aleatório nem sempre age quando deveria. "É extremamente desmotivador quando gerentes permitem mau comportamento por medo de que interferir possa lhes trazer problemas", diz um funcionário sobre esse tipo de chefe.

Assim como com o líder inconsciente, a falta de treinamento adequado ou de habilidade com pessoas pode fazer com que o líder aleatório não tenha consciência de como as suas ações afetam as pessoas ao seu redor. Pense em Michael Scott, o chefe egocêntrico da série de TV *The Office*, que é legal, mas só até certo ponto. Ele pode simplesmente sair no meio do dia por causa de problemas familiares ou outros. Pode ser que esses líderes não estejam atendendo às suas próprias aspirações por estarem lutando com as novas responsabilidades trazidas por uma fusão, uma demissão em massa ou uma rápida expansão ou mudança.

Com frequência o líder aleatório tem os seus funcionários favoritos, intencionalmente ou não, assim pode falhar ao atribuir tarefas para as pessoas certas ou ao defender a sua equipe. Similarmente, pode ser que não trabalhe bem com outras equipes, levando a rompimentos na comunicação. "Isso pode ser muito frustrante e, às vezes, parece que os gerentes nem conseguem falar uns com os outros", diz outro funcionário sobre o seu líder aleatório.

Como resultado, o efeito desse líder no ambiente de trabalho é – você adivinhou! – aleatório. Funcionários que trabalham para esse tipo de líder são ligeiramente mais propensos a terem sentimentos ambivalentes ou negativos a respeito de seu trabalho (53%) do que se sentirem bem com o que fazem (47%). Como o líder aleatório se conecta mais com algumas pessoas do que com outras, ele cria uma atmosfera de incerteza, na qual algumas pessoas não sabem se podem contar com os seus colegas. Isso também leva a uma erosão maior na confiança, já que o clima de dúvida entre os funcionários é contrário ao de uma cultura de alta confiança.

Colaboradores com chefes desse nível são 31% menos propensos a dizer que vivenciam a cooperação no trabalho do que funcionários com líderes do próximo nível, o líder transacional. Por outro lado, como o líder aleatório cria um ambiente de trabalho menos tóxico do que o descrito por pessoas sob um líder inconsciente, os funcionários são 36% menos propensos a largar o emprego, melhorando assim a taxa de rotatividade voluntária e, com ela, a receita da empresa.

Se Tim Ryan, da PwC, fosse um líder aleatório, ele nunca teria se pronunciado sobre injustiças raciais publicamente para o país. Ter esse tipo de postura pública é a antítese de um líder que não quer desagradar ninguém.

### VOCÊ DEVE SER UM(A) LÍDER ALEATÓRIO SE...
- Sente-se com frequência como se estivesse em uma situação sem saída.
- Não consegue se concentrar devido a problemas em sua vida social.

- Sempre sai para almoçar com os mesmos membros da equipe.
- Tem problema para se identificar com muitas pessoas da sua equipe.
- Já teve funcionários seus pedindo transferência para outros departamentos, reclamando sobre você para o seu chefe ou partindo para outro emprego.
- Recebeu avisos sobre não ter alcançado metas ou não ter melhorado o desempenho da sua liderança.

### ALINHANDO-SE

Um líder aleatório está longe de ser uma causa perdida. Para ascenderem ao próximo nível, esses chefes têm de eliminar favoritismos, comunicar-se regularmente com as pessoas de dentro e de fora das equipes que elas gerem, envolver todos e rotineiramente reconhecer os esforços dos funcionários. Se um líder aleatório conseguir fazer tudo isso, as pessoas que trabalham para ele acreditarão na sua integridade e darão mais de si ao trabalho, o que melhorará a sua cooperação e produtividade.

### NÍVEL 3: O LÍDER TRANSACIONAL

**Experiência comum entre funcionários:**
"Eles fazem o seu trabalho – e nada mais."

Mais do que qualquer outra coisa, o líder transacional gosta de ticar itens na sua lista de afazeres, sobretudo os relacionados às suas metas. Ele não tem alguns dos maus comportamentos dos líderes inconsciente e aleatório e é bom no que faz, mas está mais preocupado em se livrar de tarefas ou em alcançar indicadores de desempenho, por isso não é nem tão visionário nem tão carismático quanto os líderes dos níveis mais altos. Embora esteja indo na direção certa, o líder transacional ainda tem um estilo de trabalho e de comunicação inconsistente. Líderes desse tipo não tentam formar conexões pessoais com os funcionários para que estes se sintam empoderados e comprometidos. "Muitas políticas e mudanças são apresentadas como decisões já tomadas pela gerência", escreve um colaborador sobre um chefe assim.

O líder transacional pode ser, na verdade, acostumado a trabalhar assim, apegado a velhos padrões cultivados antes dos avanços digitais e outras inovações que mudaram a maneira como trabalhamos e as exigências dos novos trabalhos. Pode ser que ele reflita, na verdade, a maneira como foi tratado por seu chefe ou por uma organização burocrática que não dê aos gerentes muito poder. "A gerência mediana é incapaz de traçar e comunicar estratégias, e toma decisões dessa forma", diz um funcionário.

No ambiente criado pelo líder transacional, as pessoas se orgulham de seu trabalho e cumprirão com as suas responsabilidades. Esse nível de competência também se aplica às equipes que elas gerenciam, que são boas na execução de tarefas específicas e já conhecidas. Diferentemente das que trabalham para os líderes inconsciente e aleatório, 62% das pessoas sob líder transacional gostam dos seus trabalhos. Mas, como nem sempre são estimuladas a pensar fora da caixa, suas equipes são 25% menos propensas a inovar quando comparadas àquelas sob líderes dos níveis mais altos.

Funcionários que trabalham para líder transacional também relatam mais politicagem e maledicência no trabalho do que os que trabalham para chefes dos níveis superiores, em parte devido à atitude indiferente do seu líder. Podem sentir que não têm tanta voz ou não recebem informação suficiente sobre o que deveriam estar fazendo. "As respostas dadas pela gerência até agora foram muito vagas", diz um funcionário sobre o seu chefe do tipo líder transacional. Embora a maioria das pessoas sob a liderança de um líder transacional seja feliz no trabalho, 16% têm uma experiência ruim e 22% poderiam tanto ficar quanto partir.

Voltando ao exemplo da Marriott no quinto capítulo e ao valor dado a cada colaborador, independentemente do seu cargo. Uma funcionária da governança que trabalha no Ritz-Carlton, propriedade da Marriott, descreveu como os seus supervisores e colegas a apoiaram após a morte dos seus pais. Em outra organização, quando trabalhava para um líder transacional, a sua experiência poderia ter sido diferente. Provavelmente não receberia tanta empatia, pois ele tipicamente não costuma querer se envolver na vida pessoal dos funcionários. Nesse contexto, podemos esquecer conversas cordiais para se abrir e permitir-se ser espontâneo. O vínculo que a funcionária da rede Marriott desenvolveu com a empresa é sem dúvida mais forte hoje graças à compaixão expressa por seus colegas e chefes.

## VOCÊ DEVE SER UM(A) LÍDER TRANSACIONAL SE...

- Prefere terminar tarefas a conversar com pessoas.
- Dá mais ordens do que ouve as preocupações e os desafios expressos por seus funcionários.
- Não sabe muito sobre o que está acontecendo na vida pessoal dos funcionários.
- Sente-se como uma peça de uma máquina burocrática;
- é mais reconhecido(a) por sua habilidade técnica do que por suas *soft skills*.
- Já foi avaliado como eficiente, mas frio.

## ALINHANDO-SE

Para um líder transacional ascender ao próximo nível, ele precisa parar de operar no piloto automático e começar a construir habilidades e hábitos de gestão de pessoas. Isso pode significar trabalhar para comunicar-se diretamente com os seus funcionários de forma mais consistente, ouvindo-os e considerando as suas sugestões na hora de tomar decisões, mostrando a eles como os seus papéis se encaixam no contexto geral da empresa. Para melhorar, o líder transacional também precisa mostrar o seu sincero interesse em seus funcionários como pessoas, para que elas sintam que estão sendo geridas de maneira justa e confiável.

## NÍVEL 4: O BOM LÍDER
**Experiência comum entre funcionários:**
"Eu fico por causa do meu gerente."

O bom líder possui um diferencial com relação aos líderes dos níveis mais baixos. Ele é consistente, inclusivo e sincero. Líderes desse tipo são claros com relação às suas expectativas quanto às funções das pessoas, entendem que erros podem acontecer e sabem que sua equipe tem vida fora do trabalho. Funcionários frequentemente descrevem o bom líder como fácil de se conversar, compreensivo, justo e a sua razão de permanecer no trabalho. Para muitos, há pouca diferença prática entre trabalhar para um bom líder e um líder For All. "A gerência direta é excelente, e eu não estaria aqui se não fosse por ele", diz alguém sobre esse tipo de chefe.

Mas, embora o bom líder tenha muitas qualidades, ele não alcançou ainda o *status* de For All. Apesar de todo o seu lado bom, ele pode sentir que a responsabilidade de alcançar metas está com ele, não com a sua equipe. Por pensar assim, pode se sentir menos confortável em ser vulnerável e abrir-se, expondo as suas falhas, o que o impede de se conectar com algumas pessoas. Muitos não o veem como completamente competente ou como um comunicador confiável. O bom líder que não é exatamente assim For All aparece nos nossos dados. Enquanto 80% dos funcionários sob a liderança de um bom líder têm uma experiência excelente no trabalho, 13% a julgam neutra e 7% têm uma má experiência. Mesmo com um bom líder como chefe, as pessoas são 25% menos propensas a dizer que ficam entusiasmadas com a ideia de ir trabalhar do que as aquelas que trabalham para um líder For All.

De forma geral, um bom líder é bom também para os negócios. Sob o seu olhar observador, os colaboradores trabalham bem individualmente ou juntos, ficam dispostos a ser flexíveis e a conquistar novas habilidades quando as circunstâncias exigirem, e são 28% mais propensos a dar mais de si no trabalho do que os que trabalham para um líder transacional. O faturamento da empresa também se beneficia desses líderes, pois menos funcionários querem partir. De fato, 13% mais pessoas dizem preferir ficar por mais tempo no trabalho do que as que trabalham para um líder transacional. Os líderes dessa categoria ajudam os colaboradores a entenderem o seu papel na organização e a avançarem em suas carreiras.

Vamos olhar o exemplo da CEO da WP Engine, Heather Brunner, que é líder For All por excelência. Ela ilustra uma pequena, mas importante diferença entre os níveis quatro e cinco de liderança. Como foi descrito antes, Brunner decidiu praticar uma gerência de livro aberto, compartilhando as finanças da empresa e indicadores de performance relevantes com toda a mão de obra para que todos pudessem entender o seu papel no contexto da empresa. Se Brunner fosse uma boa líder em vez de uma líder For All, talvez tivesse decidido que só gerentes ou representantes de vendas deveriam ter acesso às finanças. Como resultado, os funcionários deixados no escuro seriam menos conscientes de como os diferentes grupos podem trabalhar juntos para alcançar as metas da empresa e do impacto de sua função no faturamento.

### VOCÊ DEVE SER UM(A) BOM(BOA) LÍDER SE...

- Ajuda funcionários a desenvolverem as suas carreiras e os recomenda para promoções.
- Já foi mentor(a).
- Consegue conversar com qualquer pessoa da equipe sobre a maioria dos assuntos, tanto relacionados ao trabalho como pessoal.
- Não conseguiu estabelecer um vínculo com alguns membros da equipe porque, por algum motivo, não se sente tão à vontade com eles.
- Acha que é importante que os outros vejam você como líder.
- Recebe, em geral, boas avaliações, incluindo as dos seus pares e dos funcionários que respondem diretamente a você.
- Foi promovido(a) graças às suas habilidades de gestão.

## ALINHANDO-SE

Para um bom líder chegar ao topo, ele deve superar seja lá o que estiver impedindo de se conectar com alguns membros da sua equipe, para que todos se sintam ouvidos nas decisões e sintam que podem se expressar quando for importante fazer. Para melhorar, o bom líder não pode focar apenas no hoje. Deve ter uma visão ampla de futuro e focar tanto no que está por vir quanto em como as diferentes equipes da companhia podem se unir para atingir metas. Ele também precisa ser capaz de articular as metas da empresa de forma que as pessoas se sintam inspiradas e conectadas a elas. Por fim, líderes neste nível devem abandonar qualquer resquício de ego relacionado ao fato de serem chefes e colocar os seus interesses a serviço de ajudar os outros a brilharem.

## NÍVEL 5: O LÍDER FOR ALL – O EXCELENTE LÍDER FOR ALL

**Experiência comum entre funcionários:**
"O meu gerente busca o que for melhor para mim."

Líderes For All têm muito de que se gabar. Afinal, eles chegaram ao topo da hierarquia de liderança; são amados por suas equipes, e as equipes que eles gerenciam se mostram mais bem-sucedidas do que as que são gerenciadas por líderes de outros níveis.

Mas aqui está o segredo dos líderes For All: eles preferem que os outros se gabem. Se conhece o conceito do líder-servidor (*servant leader*, em inglês), você reconhecerá esse aspecto nesses gerentes, que preferem liderar dos bastidores, permitindo que aqueles que trabalham para eles façam o seu melhor. Líderes For All tratam as pessoas com dignidade, independentemente da sua posição. Quem que trabalha para esses líderes os vê como gerentes que trabalham duro e que lideram pelo exemplo: seguem aquilo que falam. Funcionários também os veem como honestos, éticos e confiáveis. Um funcionário descreve o seu gerente, que é um líder For All, como um líder "fantástico, inteligente, transparente e solícito, que QUER que todos sejam bem-sucedidos". Líderes For All não microgerenciam. Gostam que as pessoas trabalhem de maneira autônoma e acolhem *feedbacks* e a opinião de outros sobre decisões. Ao se mostrarem abertos e responsivos, aumentam a sua influência sobre outros. A construtora TDIndustries, uma das 100 Melhores Empresas para Trabalhar da *Fortune*, faz do empoderamento dos funcionários parte de seu mantra corporativo: "Todos participam – ninguém domina".

Líderes For All são justos, embora a justiça de salários e de outros tipos não signifique necessariamente tratar todos da mesma maneira. Justiça também leva em consideração os sistemas socioeconômicos que historicamente têm favorecido uns acima de outros, e o fato de que todos os funcionários devem perceber as ações de seus líderes. Na lista das 100 Melhores Empresas, na qual há uma abundância de líderes For All, a classificação que funcionários dão à justiça aumentou mais drasticamente do que qualquer outra área nos últimos vinte anos, ultrapassando os avanços relacionados a respeito, credibilidade e outras dimensões que estudamos.

Os resultados alcançados por líderes For All – ou, melhor, os resultados alcançados por suas equipes – são notáveis. As suas equipes demonstram uma produtividade três vezes maior do que as que operam sob líderes inconscientes. Funcionários guiados por líderes For All também são três vezes mais propensos a inovar e a trabalhar de forma rápida, em ritmo ágil, do que pessoas que aqueles para líderes do nível mais baixo. Pessoas com chefes que são, na verdade, líderes For All também demonstram uma inclinação maior para ficarem na empresa por mais tempo.

É comum que funcionários digam que os líderes For All são os melhores chefes que eles já encontraram. Líderes For All fazem com que todos se sintam bem-vindos e sejam tratados com justiça, instaurando um senso de colaboração em suas equipes, assim como por meio de diferentes áreas da empresa. Eles se destacam por sua habilidade de reduzir a politicagem e o favoritismo a níveis quase imperceptíveis, talvez porque façam um excelente trabalho no que diz respeito a ouvir *feedbacks* de todos e envolvê-los nas discussões.

É claro que, mesmo com todos esses acertos, líderes For All não são perfeitos. São humanos, portanto também cometem falhas e erros. Uma característica que os diferencia dos bons líderes, porém, é a sua habilidade de inspirar lealdade, desempenho e crescimento em outras pessoas. Funcionários que dizem trabalhar sob a sua liderança relatam que estão fazendo o melhor trabalho de suas vidas. Quando trabalham para líderes For All, os funcionários tendem a acreditar que os salários são mais justos, que colegas trabalham bem juntos e que o ambiente é aberto, amigável e acolhedor. "Eu posso dar sugestões e abordar qualquer problema com o meu gerente e os meus colegas", declarou um colaborador.

Podemos, mais uma vez, olhar para Heather Brunner, da WP Engine, como um exemplo de líderes For All. A sua decisão de tirar o Ensino Superior como uma exigência em processos seletivos e de treinar todos os funcionários para ler os relatórios financeiros da empresa se baseia em sua convicção de que a companhia ficaria mais forte caso se beneficiasse de uma variedade maior de perspectivas – e caso fosse aproveitado o máximo potencial humano dos seus funcionários. "Uma das coisas que digo à minha equipe é que somos uma empresa de iguais", disse Brunner. "Sou CEO somente por uma questão de tempo e graças às diferentes experiências que tive. Não sou mais inteligente, nem tenho mais potencial. Todos vocês têm essas duas coisas."[149]

### VOCÊ DEVE SER UM(A) LÍDER FOR ALL SE...

- Está cercado(a) por pessoas inteligentes e comprometidas a dar o seu melhor.
- Lidera equipes criadoras de produtos inovadores e alcança resultados acima da média nos negócios.

- Lidera equipes que trabalham bem com outros grupos de dentro da empresa.
- Com frequência, ouve membros da sua equipe dizendo que amam o que fazem.
- Consegue se lembrar de pelo menos algumas situações em que ajudou um funcionário a alcançar um bom resultado, mas não sentiu a necessidade de ganhar crédito pelo que fez.
- Tem baixa ou nenhuma rotatividade voluntária nas equipes que gerencia.
- Recebe com frequência pedidos para servir de mentor(a) ou já ajudou várias pessoas a avançarem em suas carreiras.
- Recebe resultados positivos em seus relatórios de desempenho ou avaliações 360.
- Já foi promovido(a) com base no sucesso de sua liderança ou no sucesso de suas equipes.
- Já foi convidado(a) a falar sobre liderança e sobre os resultados de suas equipes, ou a promover *workshops* sobre o tema.

## COMO CONTINUAR SENDO UM LÍDER FOR ALL

Ser um líder For All não é fácil. Constantes mudanças nas demandas dos negócios, alterações no pessoal, condições de mercado e outras exigências mostram que não há como manter um *statu quo*. Manter uma postura de líder For All significa estar constantemente reavaliando do que as pessoas e as equipes precisam para serem bem-sucedidas – o que precisa ser feito, da parte do líder, para que elas atinjam as suas metas. Para se manter aberto e flexível, o líder For All pode ter de trabalhar seu crescimento pessoal por meio de treinamento, meditação e outras maneiras. Também não custa lembrar sempre a competência das pessoas da equipe, de modo a colocar em perspectiva os problemas que vão aparecendo.

E, independentemente do nível em que os líderes se encaixem nessa classificação, é importante ter uma compreensão precisa de como as suas equipes os veem – pelo bem dos funcionários e dos negócios. Se as empresas se comprometerem com a construção de Great Places to Work For All, todos os líderes devem ser guiados por dados e análises precisos, que lhes permitam essa compreensão. Uma vez bem informados, os líderes podem direcionar as suas ações para um aperfeiçoamento constante.

### LÍDERES FOR ALL VÃO ALÉM DAS FRONTEIRAS DOS NEGÓCIOS

Além dos cinco perfis que descrevemos neste capítulo, há outro nível ao qual líderes For All transcendem, atravessando a fronteira da equipe e até da empresa. Isso se dá quando a pessoa reconhece o poder que tem de promover uma mudança maior no mundo, usando a sua posição como uma plataforma para inspirar mudanças. Inspirando outros líderes a se tonarem For All também.

Esse tipo de liderança exige muita coragem e convicção. Em sua primeira semana de trabalho como presidente da PwC, Tim Ryan foi instruído a não iniciar um debate aberto sobre questões étnico-raciais, mas tomou a decisão de fazê-lo de toda forma, porque sabia que era a coisa certa a ser feita. Há quem diga que, assim, ele arriscou a sua posição de poder. Mas, ao transformar a sua posição em uma plataforma para mudanças em larga escala, ele deu voz à experiência dos seus funcionários e inspirou muitos dos líderes-chave do país a iniciar esse diálogo em suas respectivas empresas.

Antes de Beth Brooke-Marciniak, vice-presidente global de política pública da EY, revelar-se gay, ela era veementemente aconselhada por seus confidentes próximos a não fazer isso devido à sua posição como líder organizacional em nível global. Mas ela assumiu o risco porque acreditava que era mais importante usar a sua posição de destaque para transmitir uma mensagem forte, positiva e honesta a adolescentes gays, mostrando aonde eles poderiam chegar um dia. Ela disse que passar essa mensagem era muito mais importante para ela do que qualquer consequência que viesse a sofrer. "Para a minha surpresa", ela disse, "eu fui bem acolhida, e parece que consegui uma nova plataforma para fazer muito mais diferença do que jamais poderia imaginar."

Ryan e Brooke-Marciniak são exemplos de líderes que usaram as suas posições para promover mudanças sociais positivas. Um olhar sobre as opiniões dos quinhentos CEOs escolhidos para a revista *Fortune* mostra que esse é um papel que está se tornando cada vez mais imperativo entre os maiores líderes organizacionais do mundo. Em 2017, apenas 4% desse grupo de elite concordaram com a seguinte afirmação: "Acredito que a minha empresa deveria se focar, sobretudo, na produção de lucro e não se distrair com questões sociais". E mais da metade (58%) concordou que "como CEO, é importante assumir um posicionamento com relação a algumas questões de interesse público". E esse número está crescendo.[150]

Isso está de acordo com a noção expressa por trabalhadores americanos de que líderes deveriam mesmo assumir posicionamentos. A empresa de relações públicas Weber Shandwick reporta que cerca de metade dos *millennials* acredita que CEOs "têm a responsabilidade de se manifestar sobre tópicos importantes para a sociedade", contra 28% de representantes da gerações X e de *baby boomers* com a mesma opinião.[151]

O fator é que ser um excelente líder da forma como o descrevemos é melhor para os negócios, para as pessoas e para o mundo. Seria difícil encontrar um líder – e uma equipe – que não gostaria de ser reconhecido por seus traços de liderança For All tal qual a propusemos. Então, talvez você esteja se perguntando: por que não há mais líderes For All?

Também temos nos feito essa pergunta.

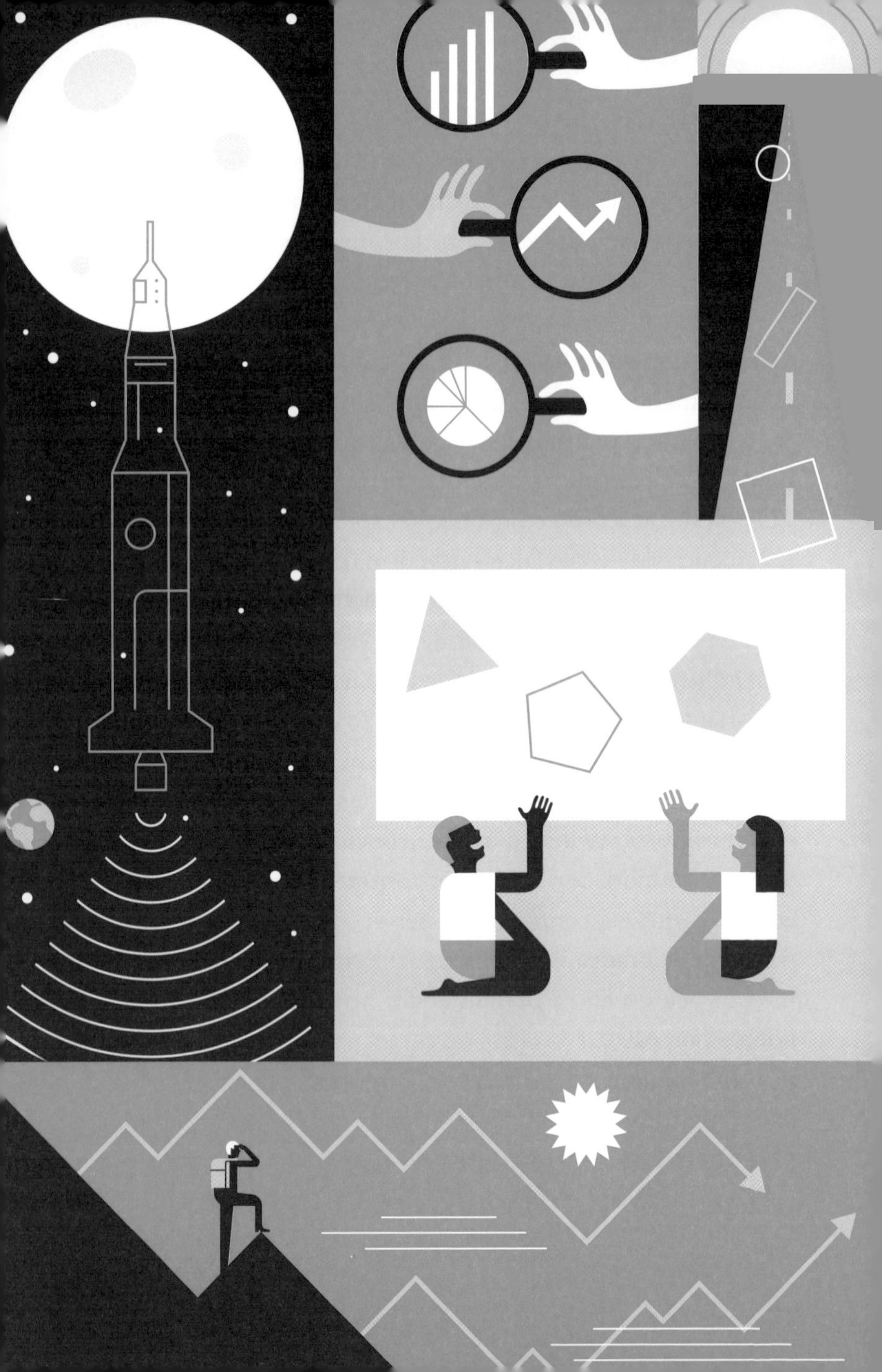

## CAPÍTULO 8

# Foguete For All

**Chegar até Great Places to Work For All pode ser desafiador. Mas essa será a jornada do século XXI.**

Neste livro, tentamos mostrar a leitores que ocupam posições de liderança em suas empresas que o caminho For All é viável. Mais do que isso, ele é também desejável.

Na primeira parte, apresentamos exemplos de Great Places to Work For All. Descrevemos os contornos de uma nova paisagem econômica, na qual mudanças sociais e tecnológicas estão priorizando uma maneira mais humanista de fazer negócios. Traçamos a nossa nova definição de Great Place to Work For All. Nós explicamos por que a maximização do potencial humano é imprescindível para o sucesso atualmente e como as organizações devem despertar o que há de melhor em todos por meio de valores, liderança eficaz e confiança, de forma a inovar e a crescer. Também mostramos como corrigir desníveis no ambiente de trabalho – consertar vazamentos na sua cultura organizacional – traz resultados bons e mensuráveis, como um crescimento financeiro mais rápido, uma produtividade maior e uma taxa de rotatividade menor.

Acreditamos que casos reais sejam convincentes. Mas a história não para aí. Então, na segunda parte, conversamos sobre como Great Places to Work For All são melhores para as pessoas e para o mundo. E sobre como essas organizações nos permitem, individualmente, alcançar mais do que acreditávamos ser possível e a desfrutar de vidas mais saudáveis e satisfatórias. Sobre como, ainda, Great Places to Work For All colaboram para uma sociedade global melhor, compartilhando prosperidade, justiça e oportunidade.

Seguimos, um a um, esses capítulos repletos de concepções nobres oferecendo a líderes detalhes de como proceder. Compartilhamos a nossa pesquisa com dez mil gerentes e traçamos o nosso novo Modelo de Liderança For All, compondo um retrato de líderes em diferentes níveis e mostrando as evidências indicativas de que proporcionar uma ótima experiência de trabalho para mais membros da sua equipe produz resultados melhores para os negócios. Também colocamos a seguinte pergunta: quem não gostaria de ser um líder For All nível 5? Sabemos que muitos ainda não chegaram lá, mesmo nas melhores empresas. E nos perguntamos por quê.

Por que mais líderes não têm seguido os passos na direção de construir um lugar para trabalhar que seja consistentemente excelente para todos, não importando quem sejam ou quais sejam as suas funções na empresa? Por que mais líderes não reconheceram ainda o poder de maximizar todo o potencial humano e ainda não o aproveitaram? Por que mais líderes não aprenderam com base em vinte anos de dados que culturas organizacionais inclusivas e de alta confiança trazem bons resultados? E, mais que isso, que não viram um lugar de trabalho For All como um imperativo moral?

Será que a resistência ao For All tem relação com efeitos que ainda podem ser notados da Revolução Industrial, que dividia os cérebros dos "braçais"? Poderia estar relacionada ao ensino das Escolas de Administração, que dão pouca ênfase ao lado pessoal das empresas e promovem uma visão limitada do potencial humano? Pode ser que poder e privilégio sejam tão viciantes que nos cegam quanto a escolhas racionais que ajudariam os nossos negócios?

Estaria Frederic Laloux certo ao dizer que as nossas empresas refletem o nosso nível de consciência coletiva, com muitos líderes focando demais no lucro e na competição? Será que preconceitos, como machismo e racismo, são tão profundamente arraigados que serão necessários séculos, ou ao menos décadas, para superá-los? Achamos que não. Na verdade, acreditamos que a mudança já está em curso. O movimento Great Workplace que ajudamos a lançar no fim do século XX já está agora bastante popularizado, e a nossa missão For All é construída a partir dele.

Nos últimos anos, por exemplo, muitos executivos tornaram a excelente cultura organizacional uma prioridade estratégica. Notamos que as 100 Melhores se tornaram, por sua vez, mais justas. Vemos cada vez mais líderes rejeitando o argumento de que a torta não é grande o suficiente para distribuir fatias para todos. Em vez disso, estão começando a acreditar que uma cultura organizacional For All aumenta o tamanho da torta para que todos possam ganhar uma fatia – e as fatias agora estão maiores do que antes!

Vemos jovens – *millennials* e nosso próprios filhos – crescendo com valores For All. Valores como reconhecer a importância de todos, envolver-se uns com os outros, ter uma voz e buscar um mundo que seja melhor para todos os seres humanos.

De qualquer forma, não deveríamos mesmo construir um mundo para esses jovens?

É por isso que o ano de 2030 é tão importante para nós. É o ano em que esperamos que todos, no mundo inteiro, estejam trabalhando em um Great Place to Work For All – um lugar certificado como Great Place to Work For All, provado em números pelo impulso dado a todas as pessoas lá dentro e pelo clima positivo sentido por elas.

Até 2030, esperamos que as conversas sobre trabalho sejam bem diferentes. Em 2030, as pessoas procurarão por empresas cuja missão e cultura combinem com elas, e não por aquelas que lhes pareçam menos chatas, estressantes ou abusivas. Esperamos que todas as pessoas olhem para uma empresa e vejam ali indivíduos semelhantes a elas, em todos os níveis hierárquicos. Esperamos que já não estejamos mais falando de diversidade e inclusão em 2030 como estamos falando hoje, com debates sobre expandir a diversidade de candidatos para incluir quantidades maiores de mulheres e negros e assim "baixar os parâmetros".

Esperamos que em 2030 todas as empresas despertem o que há de melhor em todo mundo. Esperamos que a nossa visão em 2030 seja ousada.

Chame-nos de lunáticos, mas, na verdade, denominamos a nossa missão de construir um mundo melhor por meio de Great Places to Work For All de *foguete*. Queremos colocar todos do planeta Terra no foguete For All.

É um novo tipo de foguete. Pense nele como um cruzamento do foguete Saturno V, que transportou carga à Lua, com o avião invisível da Wonder Woman. Nesse foguete, não haverá mais números confidenciais. Não mais pessoas sem reconhecimento pelos seus esforços. Não mais homens e mulheres se sentindo diminuídos ou exaustos sob camadas de negligência burocrática. Nesse foguete – tornado transparente por dados compartilhados e líderes esclarecidos –, todos que fizerem a sua parte serão vistos, reconhecidos e estimados.

O foguete For All nos transportará a ambientes de trabalho que nos façam sentir vivos, livres e saudáveis. Ambientes de trabalho que sejam capazes de unir as pessoas em diferentes países e no mundo todo, aumentando a sua prosperidade e o nível de consciência coletiva. Lugares em que os nossos líderes encontrem maneiras de se conectar com todos, desenvolvendo todo o seu potencial humano.

Você vai se juntar aos pioneiros desse foguete For All? É preciso ter coragem e força de vontade para se olhar no espelho e, de fato, encarar as suas crenças, os seus valores e o seu impacto como líder.

Mas os primeiros passos dessa jornada são simples. São cinco:

1. Faça uma sondagem com os seus funcionários a respeito da sua experiência de trabalho.
2. Revise objetivamente as declarações dadas por eles.
3. Pense em como a sua liderança e a de outros pares pode criar um ambiente em que todo funcionário tenha uma experiência melhor, não importando quem seja ou que função desempenha na organização.
4. Busque ajuda para aprimorar as suas práticas de liderança.
5. Repita os passos 1-4.

Essa fórmula colocará você no caminho For All – um caminho que logo colocará você no foguete For All.

Se você ainda precisa de um pouquinho de motivação final para embarcar nessa, pense no seguinte: a viagem será divertida. Uma aventura com direção ao que é possível quando a humanidade trabalha junta. Construir um Great Place to Work For All pode ser duro às vezes. Mas essa será a jornada do século XXI.

# Notas

### Prefácio

1. Ele me disse o nome do banco, que eu não reproduzi aqui. Mas você pode tentar adivinhar qual é.

### Introdução

2. John Chambers, entrevista feita por Ed Frauenheim e Jessica Rohman, Conferência Great Places to Work For All, GPTW, 25 de maio de 2017.

3. Jay Yarow, "The Greatest Tech Companies in History, Period", Business Insider, 24 de janeiro de 2012, http://www.businessinsider.com/the-greatest-companies-in-the-history-of-technology-period-2012-1; Jena McGregor, "Cisco Names John Chambers's Successor", Washington Post, 4 de maio de 2015, https://www.washingtonpost.com/news/on-leadership/wp/2015/05/04/cisco-names-successor-to-longtime-ceo-john-chambers/ (Acesso em: 10 de outubro de 2017).

4. John Chambers, entrevista para Alan Murray, Conferência Great Place to Work, Great Place to Work, 25 de maio de 2017.

### Capítulo 1

5. Chris Ballard, "Steve Kerr's Absence: The True Test of a Leader", *Sports Illustrated*, 16 de maio de 2017, https://www.si.com/ nba/2017/05/16/steve-kerr-nba-playoffs-golden-state-warriors-injury-leadership (Acesso em: 10 de outubro de 2017).

6. Scott Ostler, "Warriors united in the poetry of defense", *San Francisco Chronicle*, 13 de abril de 2017, http://www.sfchronicle.com/sports/ostler/article/Warriors-united-in-the-poetry-of-defense-11071364.php (Acesso em: 28 de novembro de 2017).

7. Veja Shaun Powell, "Golden State Warriors superstar Kevin Durant moving on from Oklahoma City backlash", *NBA.com*, 30 de maio de 2017, http://www.nba.com/article/2017/05/29/warriors-kevin-durant-moving-thunder-backlash#/ ( Acesso em:28 de novembro de 2017); e Marc J. Spears, "'Strength in Numbers' Convinced Kevin Durant to Join Warriors", *The Undefeated*, July 4, 2016, https://the undefeated.com/features/strength-in-numbers-convinced-kevin-durant-to-join-warriors/ (Acesso em:10 de outubro de 2017).

8. Alex Edmans, "The Link Between Job Satisfaction and Firm Value, with Implications for Corporate Social Responsibility", *Academy of Management Perspectives* 26.4 (2012): 1–19.

9. Vivian Hunt, Dennis Layton e Sara Prince, "Why Di- versity Matters", McKinsey & Company, janeiro de 2015, http://www.mckinsey.com/business-functions/organization/our-insights/ why-diversity-matters (Acesso em: 10 de outubro de 2017).

10. Marcus Noland, Tyler Moran e Barbara Kotschwar, "Is Gender Diversity Profitable? Evidence from a Global Survey", fevereiro de 2016, Working Paper nº. 16-3, Peterson Institute for International Economics, Washington, D.C., https://piie.com/publications/wp/wp16-3.pdf (Acesso em: 10 de outubro de 2017).

11. Ed Frauenheim e Sarah Lewis-Kulin, "Pursuing the Potential of All Employees", Great Place to Work, 2016, https://www.greatplacetowork.com/resources/reports/742-pursuing-the-potential--of-all-employees (Acesso em: 10 de outubro de 2017).

12. Louis Columbus, "2015 Gartner CRM Market Share Analysis Shows Salesforce in the Lead, Growing Faster than Market", *Forbes*, May 28, 2016, https://www.forbes.com/sites/louiscolumbus/2016/05/28/2015-gartner-crm-market-share-analysis-shows-salesforce-in-the-lead-growing-faster-than-market/ (Acesso em: 10 de outubro de 2017).

13. Anne Shields, "Why Salesforce Is Set to Grow in 2017", *Market Realist*, February 22, 2017, http://marketrealist.com/2017/02/why-salesforce-is-set-to-grow-in-2017/ (Acesso em: 10 de outubro de 2017).

14. Kurt Badenhausen, "The Knicks and Lakers Top the NBA's Most Valuable Teams 2017", *Forbes,* February 15, 2017, https://www.forbes.com/sites/kurtbadenhausen/2017/02/15/the-knicks-and-lakers-head-the-nbas-most-valuable-teams-2017/#ffcdbff7966e (Acesso em: 10 de outubro de 2017).

15. Bruce Schoenfeld, "What Happened When Venture Capitalists Took Over the Golden State Warriors", *New York Times*, 30 de março de 2016, https://www.nytimes.com/2016/04/03/magazine/what-happened-when-venture-capitalists-took-over-the-golden-state-warriors.html (Acesso em: 10 de outubro de 2017).

## Capítulo 2

16. Marco della Cava, Jessica Guynn e Jon Swartz, "Uber's Kalanick Faces Crisis over 'Baller' Culture", *USA TODAY*, 24 de fevereiro de 2017, https://www.usatoday.com/story/tech/news/2017/02/24/ uber-travis-kalanick-/98328660/ (Acesso em: 10 de outubro de 2017).

17. Mike Isaac, "Uber Board Stands by Travis Kalanick as It Reveals Plans to Repair Its Image", *New York Times*, 21 de março de 2017,

https://www.nytimes.com/2017/03/21/technology/uber-board-stands-by-travis-kalanick.html (Acesso em: 10 de outubro de 2017).

18. Susan J. Fowler, "Reflecting on One Very, Very Strange Year at Uber", 19 de fevereiro de 2017, https://www.susanjfowler.com/blog/2017/2/19/reflecting-on-one-very-strange-year-at-uber (Acesso em: 10 de outubro de 2017).

19. Deirdre Bosa e Anita Balakrishnan, "The Justice Department Is Looking into Whether Uber Violated US Foreign Bribery Laws, Report Says", CNBC, 29 de abril de 2017, https://www.cnbc.com/2017/08/29/doj-investigating-whether-uber-violated-us-foreign-bribery-laws-dj-citing-sources.html (Acesso em: 10 de outubro de 2017).

20. Eric Newcomer, "In Video, Uber CEO Argues with Driver over Falling Fares", *Bloomberg*, 28 de fevereiro, 2017, https://www.bloomberg.com/news/articles/2017-02-28/in-video-uber-ceo-argues-with-driver-over-falling-fares (Acesso em: 10 de outubro de 2017).

21. Kara Swisher e Johana Bhuiyan, "Uber President Jeff Jones Is Quitting, Citing Differences over 'Beliefs and Approach to Leadership'", *Vox Media*, 19 de março de 2017, https://www.recode.net/2017/3/19/14976110/uber-president-jeff-jones-quits (Acesso em: 10 de outubro de 2017).

22. Eric Newcomer, "Uber, Lifting Financial Veil, Says Sales Growth Outpaces Losses", *Bloomberg*, 14 de abril de 2017, https://www.bloomberg.com/news/articles/2017-04-14/embattled-uber-reports-strong-sales-growth-as-losses-continue (Acesso em: 10 de outubro de 2017).

23. Della Cava, Guynn e Swartz, "Uber's Kalanick Faces Crisis over 'Baller' Culture".

24. Mike Isaac, "Uber Fires 20 amid Investigation into Workplace Culture", *New York Times*, 6 de junho de 2017, https://www.nytimes.com/2017/06/06/technology/uber-fired.html (Acesso em: 10 de outubro de 2017).

25. Newcomer, "In Video, Uber CEO Argues with Driver over Falling Fares".

26. Isaac, "Uber Fires 20 amid Investigation into Workplace Culture".

27. Mike Isaac, "Uber Founder Travis Kalanick Resigns as C.E.O.", *New York Times*, 21 de junho de 2017, https://www.nytimes.com/2017/06/21/technology/uber-ceo-travis-kalanick.html (Acesso em: 10 de outubro de 2017).

28. John Gerzema e Michael D'Antonio, "The Power of the Post-Recession Consumer", *strategy+business*, 22 de fevereiro de 2011, https://www.strategy-business.com/article/00054 (Acesso em: 10 de outubro de 2017).

29. William H. Frey, "Five Charts that Show Why a Post-White America Is Already Here", *New Republic*, 21 de novembro de 2014, https://newrepublic.com/article/120370/five-graphics-show-why-post-white-america-already-here (Acesso em: 10 de outubro de 2017).

30. Ibid.

31. Richard Fry, "Millennials Surpass Gen Xers as the Largest Generation in U.S. labor force", Pew Research Center, http://www.pewresearch.org/fact-tank/2015/05/11/millennials-surpass-gen-xers-as-the-largest-generation-in-u-s-labor-force/ (Acesso em: 10 de outubro de 2017).

32. Jonas Barck, "Universum Releases 2017 U.S. Talent Survey Data", *Universum Global*, http://universumglobal.com/articles/2017/04/universum-releases-2017-u-s-talent-survey-data/ (Acesso em: 10 de outubro de 2017).

33. D. Finn e A. Donovan, "PwC's NextGen: A Global Generational Study", PwC, 2013, https://www.pwc.com/gx/en/hr-management-services/pdf/pwc-nextgen-study-2013.pdf; "Mind the Gaps: The 2015 Deloitte Millennial Survey, Executive Summa- ry", Deloitte, 2015, https://www2.deloitte.com/content/dam/De loitte/global/Documents/About-Deloitte/gx-wef-2015-millennial-survey-executivesummary.pdf (Acesso em: 10 de outubro de 2017).

34. Fowler, "Reflecting on One Very, Very Strange Year at Uber".

35. "Social Media Fact Sheet" Pew Research Center, 1º de janeiro de 2017, http://www.pewinternet.org/fact-sheet/social-media/ (Acesso em: 10 de outubro de 2017).

36. Myles Udland, "United Airlines Loses $950 Million in Market Value as Shares Tumble", *Oath Inc.*, 11 de abril de 2017, https://finance.yahoo.com/news/united-airlines-shares-tumbling-140648573.html (Acesso em: 10 de outubro de 2017).

37. Derek Thompson, "A World Without Work", *The Atlantic*, July/August 2015, https://www.theatlantic.com/magazine/archive/2015/07/world-without-work/395294/ (Acesso em: 10 de outubro de 2017).

38. Dov Seidman, "From the Knowledge Economy to the Human Economy", *Harvard Business Review*, 12 de novembro de 2014, https://hbr.org/2014/11/from-the-knowledge-economy-to-the-human-economy (Acesso em: 10 de outubro de 2017).

39. "Hyatt Hotels Corporation's Chief Human Resources Officer, Robert W. K. Webb, YouTube video", 42:47, posted by "Great Place to Work", 10 de abril de 2106, https://youtu.be/uEdlb0FDjzc?t=26m5s (Acesso em: 10 de outubro de 2017).

40. Susan Lund, James Manyika e Jacques Bughin, "Globalization Is Becoming More About Data and Less About Stuff", *Harvard*

*Business Review*, 14 de março de 2016, https://hbr.org/2016/03/globalization-is-becoming-more-about-data-and-less-about-stuff (Acesso em: 10 de outubro de 2017).

41. Vanessa Bates Ramirez, "How to Stay Innovative amid the Fastest Pace of Change in History", Singularity Education Group, 19 de maio de 2017, https://singularityhub.com/2017/05/19/how-to-stay-innovative-amid-the-fastest-pace-of-change-in-history/; Bhaskar Chakravorti, Christopher Tunnard e Ravi Shankar Chaturvedi, "Where the Digital Economy Is Moving the Fastest", *Harvard Business Review*, 19 de fevereiro de 2015, https://hbr.org/2015/02/where-the-digital-economy-is-moving-the-fastest (Acesso em: 10 de outubro de 2017).

42. Lund, Manyika e Bughin, "Globalization Is Becoming More About Data and Less About Stuff".

43. Ed Frauenheim, "Contingent Workers: Why Companies Must Make Them Feel Valued", *Workforce*, 3 de agosto de 2012, http://www.workforce.com/2012/08/03/contingent-workers-why-companies-must-make-them-feel-valued/ (Acesso em: 10 de outubro de 2017).

44. Newcomer, "In Video, Uber CEO Argues with Driver over Falling Fares".

## Capítulo 3

45. A. H. Maslow, "A Theory of Human Motivation", *Psycho- logical Review* 50 (1943): 370–396, http://psychclassics.yorku.ca/Maslow/motivation.htm (Acesso em: 10 de outubro de 2017).

46. "FMRI Reveals Reciprocal Inhibition Between Social and Physical Cognitive Domains", *NeuroImage* 66 (2013): 385–401, https://www.ncbi.nlm.nih.gov/pubmed/23110882; "Richard Boyatzis—

What Brain Science Is Teaching Us About Leadership", YouTube video, 3:15, postado em 17 de abril de 2014, https://www.youtube.com/watch?v=kxR7dNqNbWM (Acesso em: 10 de outubro de 2017).

47. Pesquisas sugerem que a "ameaça de estereótipos" pode prejudicar o comprometimento dos funcionários e o desempenho das organizações, mas que pode ser driblada por meio de alguns passos, como líderes explicitamente afirmando a inclusão como um valor e praticando *feedbacks* por meio dos quais deixam claro que o funcionário consegue alcançar um alto parâmetro. Veja Bettina J. Casad e William J. Bryant, "Addressing Stereotype Threat Is Critical to Diversity and Inclusion in Organizational Psychology", *Frontiers in Psychology*, 20 de janeiro 2016, http://journal.frontiersin.org/article/10.3389/fpsyg.2016.00008/ (Acesso em: 10 de outubro de 2017).

48. George Serafeim e Claudine Gartenberg, "The Type of Purpose that Makes Companies More Profitable", *Harvard Business Review*, 21 de outubro de 2016, https://hbr.org/2016/10/the-type-of-purpose-that-makes-companies-more-profitable (Acesso em: 10 de outubro de 2017).

49. Hunt, Layton, and Prince, "Why Diversity Matters".

50. "A Conversation with Randall Stephenson and David Huntley: Code of Business Conduct", AT&T, 14 de março de 2017, https://ebiznet.sbc.com/attcode/assets/2017StephensonHuntleyVideoTranscript.pdf (Acesso em 4 de novembro de 2017).

51. Juliana Menasce Horowitz and Gretchen Livingston, "How Americans View the Black Lives Matter Movement", Pew Research Center, 8 de julho de 2016, http://www.pewresearch.org/fact-tank/2016/07/08/how-americans-view-the-black-lives-matter-movement/ (Acesso em 4: de novembro de 2017).

52. Luigi Guiso, Paola Sapienza e Luigi Zingales, "The Value of Corporate Culture", *Journal of Financial Economics* 117 (2015): 60–76.

53. Kim Peters and Ed Frauenheim, "How These Companies Are Changing the Financial Industry", *Fortune,* 19 de julho, 2016, http://fortune.com/2016/07/19/companies-changing-financial-industry/ (Acesso em: 10 de outubro de 2017).

54. Ibid.

55. Katherine Schwab, "Ideo Studied Innovation in 100+ Companies—Here's What It Found", Co.Design, 20 de março de 2017, https://www.fastcodesign.com/3069069/ideo-studied-innovation-in-100-companies-heres-what-it-found (Acesso em: 10 de outubro de 2017).

56. Veja Steven C. Currall, Ed Frauenheim, Sara Jansen Perry e Emily M. Hunter, *Organized Innovation: A Blueprint for Renewing America's Prosperity* (Oxford University Press, 2014).

57. Emma Seppala, "Why Compassion Is a Better Manageri- al Tactic than Toughness", *Harvard Business Review*, 7 de maio de 2015, https://hbr.org/2015/05/why-compassion-is-a-better-managerial-tactic-than-toughness (Acesso em: 10 de outubro de 2017).

58. Marc J. Spears, "The Mystery Man Behind the Plan that Helped the Warriors Win Game 4 of the NBA Finals", *Yahoo! Sports*, 12 de junho de 2015, https://sports.yahoo.com/news/the-mystery-man-behind-the-plan-that-helped-the-warriors-win-game-4-of-the-nba-finals-080509364.html (Acesso em: 10 de outubro de 2017).

59. Steven Ruiz, "Bill Belichick Needed Every Bit of His Defensive Genius to Beat the Falcons", *USA TODAY*, February 5, 2017, http://ftw.usatoday.com/2017/02/bill-belichick-gameplan-patriots-falcons-super-bowl-51-recap (Acesso em: 10 de outubro de 2017).

60. Lund, Manyika, and Bughin, "Globalization Is Becoming More About Data and Less About Stuff."
61. "Sustainable Growth Rate—SGR", *Investopedia*, http:// www.investopedia.com/terms/d/dupontanalysis.asp (Acesso em: 10 de outubro de 2017).

## Capítulo 4

62. As nossas conclusões no que diz respeito a "lacunas" entre as Melhores Empresas são corroboradas por um estudo recente com dados do Great Place to Work realizado pelos acadêmicos Edward Carberry, da Universidade de Massachusetts, em Boston, e Joan Meyers, da Universidade Politécnica Estadual da Califórnia, em, San Luis Obispo. Eles abordaram os dados de 1.054 empresas que se candidataram à lista das 100 Melhores Empresas para Trabalhar entre 2006 e 2011 nos Estados Unidos e chegaram às seguintes conclusões: "As percepções de mulheres e homens negros e de etnias não brancas e de mulheres brancas em empresas que entram para a lista das 'melhores' são mais positivas do que a de seus semelhantes demográficos em empresas que não entraram para a lista. Também concluímos, porém, que as percepções de funcionários de grupos historicamente marginalizados são mais negativas do que as de homens brancos nas "melhores" empresas, e esse padrão se repete de maneira similar nas empresas que não entraram para a lista. No que diz respeito a percepções de justiça, as diferenças entre funcionários de grupos historicamente marginalizados e homens brancos são menores em empresas que entraram para a lista". Edward J. Carberry e Joan S. M. Meyers, "Are the 'best' better for everyone? Demographic variation in employee perceptions of *Fortune*'s 'Best Companies to Work For'", *Equality, Diversity and Inclusion: An International Journal*, Vol. 36 Issue: 7, 2017, pp. 647–

669, https://doi.org/10.1108/EDI-01-2017-0017 (Acesso em: 29 de novembro de 2017).

63. Robert Silverman, "Steve Kerr, the Risk-Taking General Who Led the Warriors to Victory", *Daily Beast,* 17 de junho de 2015, https://www.thedailybeast.com/steve-kerr-the-risk-taking-general-who-led-the-warriors-to-victory (Acesso em: 29 de novembro de 2017).

64. Josh Bersin, "Why Diversity and Inclusion Will Be a Top Priority for 2016", *Forbes,* 6 de dezembro de 2015, https://www.forbes.com/sites/joshbersin/2015/12/06/why-diversity-and-inclusion-will-be-a-top-priority-for-2016/ (Acesso em: 10 de outubro de 2017).

65. Gallup concluiu que 87% dos funcionários em todo o mundo não são comprometidos no trabalho, e que as empresas com mão de obra altamente comprometida ultrapassam seus pares em 147% de rendimento por participação no mercado. Veja "The Engaged Workplace", Gallup, 2017, http://www.gallup.com/services/190118/engaged-workplace.aspx. See also Andy Nelson, "Does Employee Engagement Depend on Position Level?", http://www.gethppy.com/employee-engagement/does-employee-engagement-depend-on-position-level (Acesso em: 10 de outubro de 2017).

66. "Inequality Hurts Economic Growth, Finds OECD Research", Organização para a Cooperação e Desenvolvimento Econômico, http://www.oecd.org/newsroom/inequality-hurts-economic-growth.htm (Acesso em: 10 de outubro de 2017).

67. Bernadette D. Proctor, Jessica L. Semega e Melissa A. Kollar, "Income and Poverty in the United States: 2015", Departamento de Comércio dos Estados Unidos, 2016 (Acesso em: 10 de outubro de 2017).

68. Sheryl Sandberg and Adam Grant, "Speaking While Female", *New York Times*, 12 de janeiro de 2015, https://www.nytimes.com/2015/01/11/opinion/sunday/speaking-while-female.html (Acesso em: 10 de outubro de 2017).

69. Susan Chira, "Why Women Aren't C.E.O.s, According to Women Who Almost Were", *New York Times*, 21 de julho de 2017, https://www.nytimes.com/2017/07/21/sunday-review/women-ceos-glass-ceiling.html (Acesso em: 10 de outubro de 2017).

70. Pat Wechsler, "Women-Led Companies Perform Three Times Better than the S&P 500", *Fortune*, 3 de março de 2015, http://fortune.com/2015/03/03/women-led-companies-perform-three-times-better-than-the-sp-500/ (Acesso em: 10 de outubro de 2017).

71. Cindy Robbins, "2017 Salesforce Equal Pay Assessment Update", Salesforce, 4 de abril de 2017, https://www.salesforce.com/blog/2017/04/salesforce-equal-pay-assessment-update.html (Acesso em: 10 de outubro de 2017).

72. Louis Columbus, "2015 Gartner CRM Market Share Analysis Shows Salesforce in the Lead, Growing Faster than Market", *Forbes*, 28 de maio de 2016, https://www.forbes.com/sites/louiscolumbus/2016/05/28/2015-gartner-crm-market-share-analysis-shows-salesforce-in-the-lead-growing-faster-than-market/ (Acesso em: 10 de outubro de 2017); Shields, "Why Salesforce Is Set to Grow in 2017".

73. Ed Frauenheim e Shawn Murphy, "Caring as Competitive Weapon", Great Place to Work, 13 de janeiro de 2017, https://www.greatplacetowork.com/blog/787-caring-as-competitive-weapon (Acesso em: 10 de outubro de 2017).

74. Veja, por exemplo, o artigo de David Rock e Heidi Grant, "Why Diverse Teams Are Smarter", *Harvard Business Review*, 4 de novem-

bro de 2016, https://hbr.org/2016/11/why-diverse-teams-are-smarter (Acesso em: 10 de outubro de 2017).

75. "Report: Pursuing the Potential of All Employees", Great Place to Work, December 5, 2016, https://www.greatplace towork.com/resources/reports/742-pursuing-the-potential-of-all-employees (Acesso em: 10 de outubro de 2017).

76. "Job Fulfilment, Not Pay, Retains Generation Y Talent", iOpener Institute, 2012, https://iopenerinstitute.com/wp-content/uploads/2016/04/iOpener-Institute-Gen-Y-Report.pdf (Acesso em: 10 de outubro de 2017).

77. "7 Ways High-Trust Organizations Retain Talent", Great Place to Work, 3 de fevereiro de 2016, https://www.greatplacetowork.com/reports/626-2016-100-best-companies-to-work-for (Acesso em: 10 de outubro de 2017).

78. "How Millennials Want to Work and Live", Gallup, http://www.gallup.com/reports/189830/millennials-work-live.aspx (Acesso em: 10 de outubro de 2017).

## Capítulo 5

79. Comentários de funcionárias das empresas certificadas como Great Places to Work (2017).

80. "Employee Engagement in U.S. Stagnant in 2015", Gallup, 13 de janeiro de 2016, http://www.gallup.com/poll/188144/employee-engagement-stagnant-2015.aspx (Acesso em: 10 de outubro de 2017).

81. Jim Clifton, "The World's Broken Workplace", LinkedIn Corporation, June 13, 2017, https://www.linkedin.com/pulse/ worlds-broken-workplace-jim-clifton (Acesso em: 10 de outubro de 2017).

82. Studs Terkel, *Working: People Talk About What They Do All Day and How They Feel About What They Do* (New Press, 1974).

83. Seidman, "From the Knowledge Economy to the Human Economy".

84. *Merriam-Webster*, s.v. "respect", https://www.merriam-webster.com/dictionary/respect (Acesso em: 10 de outubro de 2017).

85. Online Etymology Dictionary, s.v. "respect", http://www.etymonline.com/index.php?term=respect (Acesso em: 10 de outubro de 2017).

86. Arne Sorenson, Marriott, Fireside Chat com Matt Heimer, Conferência de 2017 da Great Place to Work, 25 de maio de 2017.

87. Comentários de funcionárias das empresas certificadas como Great Places to Work (2017).

88. Steve Taylor, "Slighting: The Dangers of Being Disrespected", *Psychology Today*, 22 de janeiro de 2017, https://www.psychologytoday.com/blog/out-the-darkness/201201/slighting-the-dangers-being-disrespected (Acesso em: 10 de outubro de 2017).

89. Kai Cao and Sanqing Wu, "Abusive Supervision and Work-Family Conflict: The Mediating Role of Emotional Exhaustion", *Journal of Human Resource and Sustainability Studies* 3 (2015): 171–178, http://file.scirp.org/pdf/JHRSS_2015120214580440.pdf (Acesso em: 10 de outubro de 2017).

90. Christine Porath, "Half of Employees Don't Feel Respected by Their Bosses", *Harvard Business Review*, 19 de novembro de 2014, https://hbr.org/2014/11/half-of-employees-dont-feel-respected-by-their-bosses (Acesso em: 10 de outubro de 2017).

91. Análise do Great Place to Work para a lista de 2016 das 100 Melhores Empresas para Mulheres.

92. Gillian B. White, "The Alarming, Long-Term Consequences of Workplace Stress", *The Atlantic*, 12 de fevereiro de 2015, https://www.theatlantic.com/business/archive/2015/02/the-alarming-long-term-consequences-of-workplace-stress/385397/ (Acesso em: 10 de outubro de 2017).

93. Paul J. Zak, "The Neuroscience of Trust", *Harvard Business Review*, https://hbr.org/2017/01/the-neuro science-of-trust (Acesso em: 10 de outubro de 2017).

94. 100 Melhores Empresas para Trabalhar nos Estados Unidos de 2017, revista *Fortune*, resultados da sondagem do Trust Index.

95. "2015 Training Industry Report", *Training*, https://training mag.com/trgmag-article/2015-training-industry-report (Acesso em: 10 de outubro de 2017). Embora o relatório da revista *Training* tenha apontado para um gasto geral maior em 2015, grandes empresas, em média, cortaram os seus orçamentos naquele ano.

96. Josh Bersin, "The Corporate Training Market Is Exploding", Deloitte Development, 30 de janeiro de 2013, http://blog.bersin.com/the-corporate-training-market-is-exploding. O estudo de Bersin para a Deloitte apontou para diferentes quedas no investimento em treinamentos durante os anos de recessão de 2008 e 2009, embora de lá para cá o investimento tenha crescido.

97. Ronald J. Burke, *The Fulfilling Workplace: The Organization's Role in Achieving Individual and Organizational Health* (Routledge, 2013), Capítulo 3.

98. Mark DeWolf, "12 Stats About Working Women", U.S. Department of Labor, 1º de março de 2017, https://blog.dol.gov/2017/03/01/12-stats-about-working-women; "Introducing the 2017 Fortune 500 List", *Fortune* video, 1:52, http://fortune.com/fortune500/(Acesso em: 10 de outubro de 2017).

99. Sylvia Ann Hewlett, Laura Sherbin, et al., "Athena Factor2.0: Accelerating Female Talent in Science, Engineering and Technology", Center for Talent Innovation, 2014, http://www.talentinnovation.org/assets/Athena-2-ExecSummFINAL-CTI.pdf (Acesso em: 10 de outubro de 2017).

100. "GoDaddy Joins Fair Pay Pledge to Help Close the Gender Pay Gap", *Cision PR Newswire*, 14 de junho de 2016, http://www.prnewswire.com/news-releases/godaddy-joins-fair-pay-pledge-to-help-close-the-gender-pay-gap-300284629.html (Acesso em: 10 de outubro de 2017).

101 Auguste Goldman e Monica Bailey, Go Daddy, apresentação "Driving Unconscious Bias Out of Our Culture", Conferência de 2017 Great Place to Work Conference, 24 de maio de 2017.

102. "The State of Entry-Level Employment in the U.S.", março de 2017, Rockefeller Foundation e Edelman Intelligence, https://assets.rockefellerfoundation.org/app/uploads/2017 0320171306/Impact-Hiring-Survey-Results.pdf; T. Ross, T. Kena, A. Rathburn, A. KewalRamani, J. Zhang, P. Kristapovich e E. Manning, "Higher Education: Gaps in Access and Persistence Study", National Center for Education Statistics, agosto de 2012, https://nces.ed.gov/pubs2012/2012046.pdf (Acesso em: 10 de outubro de 2017).

103. Heather Brunner, WP Engine, "Starting at the Core: Building an Engaged and Transparent Culture", Conferência do Great Place to Work, 24 de maio de 2017.

104. Charles Duhigg, "What Google Learned from Its Quest to Build the Perfect Team", *New York Times*, 25 de fevereiro de 2016, https://www.nytimes.com/2016/02/28/magazine/what-google-learned-from-its-quest-to-build-the-perfect-team.html (Acesso em: 10 de outubro de 2017).

105. Shannon B. Wanless, "The Role of Psychological Safety in Human Development", *Research in Human Development* 13 (2016): 6–14, https://www.researchgate.net/publication/296623430_The_Role_of_Psychological_Safety_in_Human_Development (Acesso em: 10 de outubro de 2017).

106. Beth Brooke-Marciniak, EY, "GPTW4ALL Leadership Story", keynote de abertura, Conferência de 2017 da Great Place to Work, 24 de maio de 2017.

107. Tim Ryan, PwC, Fireside Chat com Alan Murray, Conferência de 2017 da Great Place to Work, 24 de maio, 2017.

108. Nancy Vitale, Genentech, "GPTW4ALL Leaders Panel: Navigating the Complexities of '4ALL' in a Global Business", with Ellen McGirt, Conferência de 2017 da Great Place to Work, 24 de maio de 2017.

109. Ellen McGirt, "175 CEOs Join Forces for Diversity and Inclusion", *Fortune,* 12 de junho de 2017, http://fortune.com/2017/06/12/175-ceos-join-forces-for-diversity-and-inclusion/ (Acesso em: 10 de outubro de 2017).

110. Dan Ariely, Emir Kamenica, and Drzen Prelec, "Man's Search for Meaning: The Case of Legos", *Journal of Economic Behavior & Organization* 67 (2008): 671–677, http://faculty.chicago booth.edu/emir.kamenica/documents/meaning.pdf (Acesso em: 10 de outubro de 2017).

111. "7 Ways High-Trust Organizations Retain Talent", Great Place to Work.

112. Great Place to Work, 2016. Auditoria de cultura na W. L. Gore & Associates.

113. Great Place to Work, 2016. Auditoria de cultura na Recreational Equipment, Inc.

## Capítulo 6

114. Margot Lee Shetterly, *Hidden Figures* (New York: Harper-Collins, 2016), p. 190. No Brasil, o livro foi publicado como *Estrelas Além do Tempo* (Harpercollins Brasil, 2016).

115. See Calla Cofield, "NASA's Female Leaders Share Chal- lenges of Working in Male-Dominated Field", Space.com, March 21, 2016, https://www.space.com/32317-nasa-female-leaders-womens-history-month.html (Acesso em: 10 de outubro de 2017).

116. Veja Richard Paul e Steven Moss, *We Could Not Fail: The First African Americans in the Space Program* (University of Texas, 2015), p. 121.

117. Bob Granath, "NASA Helped Kick-start Diversity in Employment Opportunities", National Aeronautics and Space Administration, 1º de julho de 2016, https://www.nasa.gov/feature/nasa-helped-kick-start-diversity-in-employment-opportunities (Acesso em: 10 de outubro de 2017).

118. "2017 Edelman Trust Barometer", http://www.edelman.com/trust2017/ (Acesso em: 10 de outubro de 2017).

119. Steven Radelet, *The Great Surge: The Ascent of the Developing World* (Simon & Schuster, 2015); Louis Uchitelle, *The Disposable American: Layoffs and Their Consequences* (Knopf, 2006).

120. "Chart Book: The Legacy of the Great Recession", Center on Budget and Policy Priorities, 8 de agosto de 2017, http://www.cbpp.org/research/economy/chart-book-the-legacy-of-the-great-recession (Acesso em: 10 de outubro de 2017).

121. "Americans' Financial Security", Pew Charitable Trusts, março de 2015, http://www.pewtrusts.org/~/media/assets/2015/02/fsm-poll-results-issue-brief_artfinal_v3.pdf (Acesso em: 10 de outubro de 2017).

122. Acidentes de trabalho que causam ferimentos ou morte não são uma grande preocupação entre funcionários americanos. Mas, em outras partes do mundo – sobretudo em países menos ricos –, a segurança física no emprego continua sendo um problema relevante. Veja Organização Internacional do Trabalho, "Safety and Health at Work: Hopes and Challenges in Development Cooperation", 2013, http://www.ilo.org/safework/projects/WCMS_215307/lang--en/ (Acesso em: 10 de outubro de 2017).

123. White, "The Alarming, Long-Term Consequences of Workplace Stress".

124. Shana Lynch, "Why Your Workplace Might Be Killing You", *Insights by Stanford Business*, 23 de fevereiro de 2015, https://www.gsb.stanford.edu/insights/why-your-workplace-might-be-killing-you (Acesso em: 19 de outubro de 2017).

125. Eliza Mackintosh, "Report: Income Inequality Rising in Most Developed Countries", *Washington Post*, 16 de maio de 2013, https://www.washingtonpost.com/news/worldviews/wp/2013/05/16/report-income-inequality-rising-in-most-developed-countries/ (Acesso em: 10 de outubro de 2017).

126. Richard Wilkinson, "Why Inequality Is Bad for You and Everyone Else", CNN, 6 de novembro, 2011, http://www.cnn.com/2011/11/06/opinion/wilkinson-inequality-harm/ (Acesso em: 10 de outubro de 2017).

127. "Inequality Hurts Economic Growth, Finds OECD Research", Organização para a Cooperação Econômica e o Desenvolvimento.

128. Jim Clifton, "What the Whole World Wants", Gallup, 17 de dezembro de 2015, http://www.gallup.com/opinion/chairman/187676/whole-world-wants.aspx (Acesso em: 10 de outubro de 2017).

129. Clifton, "The World's Broken Workplace".

130. "Deloitte Announces 16 Weeks of Fully Paid Family Leave Time for Caregiving", Deloitte, 8 de setembro, 2016, https://www2.deloitte.com/us/en/pages/about-deloitte/articles/press-releases/ deloitte-announces-sixteen-weeks-of-fully-paid-family-leave-time-for-caregiving.html (Acesso em: 10 de outubro de 2017).

131. Kerry Jones, "The Most Desirable Employee Benefits", *Harvard Business Review*, 15 de fevereiro de 2017, https://hbr.org/2017/02/the-most-desirable-employee-benefits (Acesso em: 10 de outubro de 2017).

132. "2017 PEOPLE's Companies That Care", Great Place to Work, 2017, https://www.greatplacetowork.com/best-workplaces/companies-that-care/2017 (Acesso em: 10 de outubro de 2017).

133. Robert Levering, "This Year's Best Employers Have Focused on Fairness", *Fortune*, 2 de março de 2016, http://fortune.com/2016/03/03/best-companies-2016-intro/ (Acesso em: 10 de outubro de 2017).

134. "The Great Workplace Era Emerges in Asia", Great Place to Work, 2015, https://s3.amazonaws.com/bestworkplacesdb/publications/The_Great_Workplace_Era_Emerges_in_Asia.pdf (Acesso em: 10 de outubro de 2017).

135. Stephen Knack, "Trust, Associational Life and Economic Performance", artigo preparado para o Simpósio Internacional HRDC-OECD sobre a Contribuição de Investimento em Capital Humano e Social para Crescimento Econômico Sustentável e Bem-Estar http://www.oecd.org/innovation/research/1825662.pdf (Acesso em: 10 de outubro de 2017).

136. Kenneth Arrow, "Gifts and Exchanges", *Philosophy and Public Affairs* 1 (1972): 343–362, citado em http://www.oecd.org/innovation/research/1825662.pdf (Acesso em: 10 de outubro de 2017).

137. "Chapter 3: Inequality and Economic Mobility", Pew Research Center, 23 de maio, 2013, http://www.pewglobal.org/2013/05/23/chapter-3-inequality-and-economic-mobility/ (Acesso em: 10 de outubro de 2017).

138. "2017 Edelman Trust Barometer".

139. Frederic Laloux, *Reinventando Organizações: Um Guia Para Criar Organizações Inspiradas no Próximo Estágio de Consciência Humana* (Voo, 2017).

140. Robert Wright, *Nonzero: The Logic of Human Destiny* (Pantheon Books, 2000).

141. Margot Lee Shetterly, Hidden Figures (Harper-Collins, 2016). No Brasil, foi publicado como *Estrelas Além do Tempo* (Harpercollins Brasil, 2016).

## Capítulo 7

142. "Mayvenn, Inc." Great Place to Work, 2017, http://reviews.greatplacetowork.com/mayvenn-inc; "About Us", Mayvenn, 2017, https://shop.mayvenn.com/about-us (Acesso em: 10 de outubro de 2017).

143. "GoFundMe", Great Place to Work, 2017, http://reviews.greatplacetowork.com/gofundme (Acesso em: 10 de outubro de 2017).

144. Jun Loayza, "With $2 Billion Raised, GoFundMe Wants to 'Disrupt Giving' by Putting Philanthropy in Our Hands", Startup

Grind, https://www.startupgrind.com/blog/with-2-billion-raised-gofundme-wants-to-disrupt-giving-by-putting-philanthropy-in-our-hands/ (Acesso em: 10 de outubro de 2017).

145. "United States Small Business Profile", U.S. Small Business Administration Office of Advocacy, 2016, https://www.sba.gov/sites/default/files/advocacy/United_States.pdf (Acesso em: 10 de outubro de 2017).

146. Frauenheim e Murphy, "Caring as Competitive Weapon."

147. Clifton, "The World's Broken Workplace".

148. Comentários de funcionários de 2015 a 2017; sondagens para o Trust Index.

149. Heather Brunner, WP Engine, "Starting at the Core: Building an Engaged and Transparent Culture".

150. Alan Murray, "CEO Daily: Tuesday, 6th June", *Fortune*, 6 de junho de 2017, http://fortune.com/2017/06/06/ceo-daily-tuesda-6th-june/ (Acesso em: 10 de outubro de 2017).

151. Alan Murray, "Trump Veers Off-Script, Again", *Fortune*, 6 de agosto de 2017, http://fortune.com/2017/08/16/trump-veers-off-script-again/ (Acesso em: 10 de outubro de 2017).

# Agradecimentos

Este livro é uma parte importante da nossa missão de construir um mundo melhor ajudando empresas a se tornarem Great Places to Work For All, e nós gostaríamos de agradecer a todos os que nos ajudaram a criá-lo.

Steve Piersanti e a equipe da editora Berrett–Koehler: obrigado por seu constante entusiasmo e pelo apoio à metodologia For All, e também por nos ajudar a mudar o mundo ao levar esta mensagem a pessoas de todo o globo.

Tabitha Russell, Nancy Cesena, Chandni Kazi e os nossos amigos da Datable, entre os quais Daniel Gibson, Matt Lichti e Lull Mengesha: obrigado a vocês pela análise impecável da enorme quantidade de dados que nos ajudaram a traçar os tópicos deste livro. Sem o esforço de vocês, nós não teríamos nada mais do que palavras inspiradoras. Os seus apontamentos ajudarão a realizar uma mudança real.

Agradecemos aos nossos fantásticos designers parceiros da Majorminor por seu trabalho na capa e pelos elementos gráficos e ilustrações do livro. Obrigado a Carolyn Monaco, Jill Totenberg e Melissa Kranz por seus pareceres experientes, que nos ajudaram a comunicar ao público a nossa mensagem For All; a Tessa Herns, por nos ajudar a gerenciar o marketing desta obra e a sua distribuição; e a Cecilia Riva Mosquera, por seus esforços no sentido de estas páginas chegarem a um público internacional.

Gostaríamos de agradecer, ainda, a Lizelle Festejo e Jamie Holt por coordenarem a conferência Great Place to Work For All, que reuniu centenas de pessoas para debater publicamente a mensagem For All e que levou a muitas percepções compartilhadas neste livro.

Obrigado a todos que nos apoiaram no processo de escrita e de edição: a Michelle Rafter, pelo auxílio editorial na preparação do texto; e a Teresa Iafolla, Casey Li, Tyler Matheny e Kristen McCammon, pela ajuda extra na edição e na pesquisa.

Gostaríamos de agradecer aos muitos líderes que aparecem ao longo deste livro, que, ao trabalharem For All, elevaram os parâmetros da ótima liderança para líderes de todo o mundo: Monica Bailey, Auguste Goldman e Blake Irving, da GoDaddy; Beth Brooke-Marciniak, da EY; Heather Brunner, da WP Engine; John Chambers, da Cisco; Tim Ryan, da PwC; Arne Sorenson, da Marriott International; Randall Stephenson, da AT&T; e Nancy Vitale, da Genentech.

A todos os nossos colegas no Great Place To Work nos Estados Unidos e em todo o mundo, obrigado por seu inabalável comprometimento com a nossa missão. Este trabalho só é possível por acreditarmos que um mundo melhor pode ser – e será – alcançado com o nosso esforço coletivo.

Ainda gostaríamos de levantar o chapéu para o nosso cofundador e ex-proprietário Robert Levering, a nossa outra cofundadora e líder fundamental Amy Lyman e o visionário Reuben Ly, por colocar a mágica em prática.

A mudança de proprietários por que passamos em 2015, resultando em uma nova presidência do conselho, tornou possíveis os nossos avanços tecnológicos e analíticos. Essas inovações permitiram o desenvolvimento da nossa nova metodologia e do nosso produto Accelerated Leadership Performance (ALP)**. Por tudo isso, agradecemos os nossos novos proprietários, Katharine Whalen, Dan Whalen (presidente do conselho), Melba Wu e Michael Bush.

Por fim, gostaríamos de agradecer as muitas empresas e os líderes que se empenham exaustivamente para construir Great Places to Work For All, além dos milhões de funcionários que trabalham nessas companhias, vocês são a nossa inspiração. A dedicação, o suor, a convicção, a humanidade e a criatividade nas melhores das empresas despertam o que há de melhor em nós, do Great Place To Work, e nos deixam esperançosos quanto ao futuro do mundo.

---

** Nota do editor: Aceleração da Performance de Liderança (tradução livre).

# Sobre nós

O Great Place to Work é a autoridade mundial em culturas empresariais de alta confiança e alto desempenho, com escritórios em mais de cinquenta países. A nossa missão é construir um mundo melhor ajudando organizações a se tornarem Great Places to Work For All. Ao longo dos últimos trinta anos, fizemos pesquisas profundas centradas na experiência dos funcionários no que diz respeito aos aspectos que tornam uma empresa ótima, e agora definimos o cerne de um local de trabalho For All. Décadas de estudos demonstram que empresas com culturas de alta confiança obtêm retornos melhores, além de inovação, satisfação de clientes e pacientes, comprometimento dos funcionários e agilidade organizacional.

Os nossos clientes se beneficiam de um banco de dados e de análises sem paralelos de como trabalham as empresas líderes de todo o mundo, assim como de uma metodologia de pesquisa já testada e aprovada pela indústria. A cada ano, cerca de quatro milhões de funcionários em todo o mundo em mais de seis mil empresas participam da nossa sondagem para estabelecer o Trust Index – juntas, elas empregam aproximadamente dez milhões de pessoas. As empresas que pesquisamos representam, praticamente, organizações de todos os tamanhos e de todos os ramos.

Por meio do nosso programa de certificação, o Great Place to Work reconhece publicamente as melhores culturas organizacionais e produz todo ano – há mais de vinte anos – a lista das 100 Melhores Empresas para Trabalhar em parceria com a revista *Fortune*, bem como as listas de Melhores Empresas para *millennials*, mulheres, para a diversidade, e de pequenas e médias empresas de variados ramos. Também temos parcerias com reconhecidas publicações de negócios em todo o mundo para produzir a lista das Melhores Empresas em 58 países, em seis continentes.

Por meio dos nossos serviços de consultoria global, ajudamos os nossos clientes a criar excelentes lugares para trabalhar e ultrapassar a concorrência em critérios-chave de negócios, como aumento do faturamento, rentabilidade e desempenho no mercado de ações. Construir uma cultura para todos os funcionários de alta confiança e alto desempenho é um caminho, e nós, do Great Place to Work, conhecemos esse caminho para que organizações de todos os tamanhos possam navegá-lo. Utilizando a nossa plataforma exclusiva SaaS, oferecemos uma abordagem ponderada, baseada em dados, e sistemática, criada para acelerar a mudança entre líderes e nas organizações como um todo.

Nós praticamos o que pregamos dentro do Great Place to Work. Somos pessoas de negócios em uma empresa com uma missão clara, e nós mesmos somos um Great Place to Work. Sabemos o que é preciso fazer porque vivemos isso.

Siga a Great Place to Work em greatplacetowork.com, @GPTW_US e também em gptw.com.br e @GPTW_BRASIL.

## TRABALHANDO FOR ALL COM PRODUTOS E SERVIÇOS DO GREAT PLACE TO WORK

Mais do que nunca, os líderes de hoje devem ser guiados por análises e dados precisos ao promoverem uma mudança estratégica em sua cultura. Conduzidos por conclusões baseadas em dados concretos, podem alcançar os resultados que desejam para as suas empresas com a máxima eficiência, deixando pouco ou nenhum espaço para o acaso ou para mal-entendidos.

## CONSULTORIA

O Great Place to Work oferece consultoria em escala global, por meio de ferramentas tecnológicas, ajudando clientes a criarem Great Places to Work e impulsionarem o desempenho dos seus negócios. Isso inclui a High-Trust Culture Consulting Services*** e a Accelerated Leadership Performance.

A Accelerated Leadership Performance. (ALP, na sigla em inglês) utiliza-se da inteligência artificial da nossa plataforma para produzir dados prescritivos, que mostram aos líderes os caminhos para chegar ao nível 5 de líder For All. A ALP avalia a experiência dos funcionários com relação ao seu líder e do local de trabalho como um todo, além de fornecer resultados específicos para cada líder, juntamente com áreas a serem melhoradas, dicas concretas de como

---

*** Nota do editor: Consultoria para uma Cultura de Alta Confiança.

podem incrementar a sua performance no que diz respeito à experiência dos funcionários e ao desempenho de toda a sua equipe. A Figura 21 ilustra o tipo de melhoria que prevemos em uma única empresa cujos gerentes usam a ALP. Cada gerente recebe uma ou duas recomendações principais indicadas pela sondagem como as que impactariam mais profundamente o funcionamento da equipe. Ao longo do tempo, líderes podem aperfeiçoar a sua percepção da experiência dos funcionários e direcioná-la para que a sua equipe alcance resultados cada vez melhores.

## CERTIFICAÇÃO

Por meio do nosso programa de certificação, empresas de todos os tamanhos têm a oportunidade de serem certificadas e publicamente reconhecidas como Great Places to Work e a chance de aparecerem em uma das muitas listas que produzimos nos Estados Unidos e no mundo. O nosso programa de certificação permite que as empresas mensurem a sua cultura com o nosso Trust Index indicado pelos funcionários, de modo a destacar a sua experiência entre os melhores dos melhores e usar esses *insights* para melhorar o seu local de trabalho e os resultados dos negócios.

Figura 21

## Impulsione a performance da liderança para ser um Great Place to Work

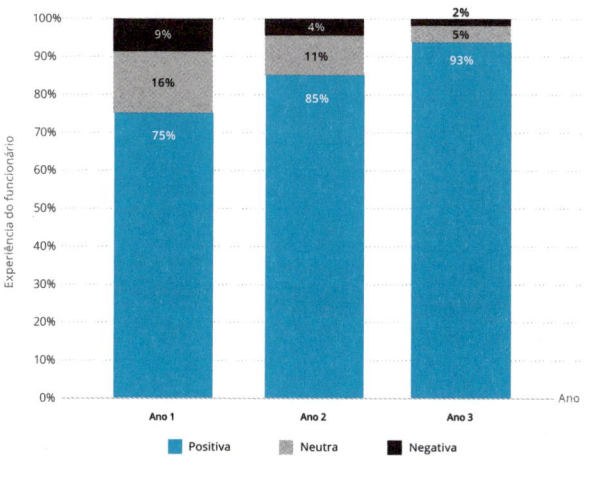

Experiência do funcionário

| | Ano 1 | Ano 2 | Ano 3 |
|---|---|---|---|
| Negativa | 9% | 4% | 2% |
| Neutra | 16% | 11% | 5% |
| Positiva | 75% | 85% | 93% |

■ Positiva ■ Neutra ■ Negativa

**Fonte:** Análise do Great Place to Work

Para mais informações sobre os nossos Programas de Certificação, visite https://www.greatplacetowork.com/certification e www.greatplacetowork.com.br.

# Autores

**Michael C. Bush** é CEO do Great Place to Work, liderando o negócio global da empresa, com seus cinquenta escritórios no mundo todo. Sob a liderança de Michael, o Great Place to Work incrementou a sua missão e metodologia de reconhecimento de empresas que constroem excelentes locais de trabalho para todos os seus funcionários, independentemente de quem sejam e de qual função desempenham na companhia. Antes de ingressar no Great Place to Work em 2015, Michael foi presidente da 8 Factors, uma empresa on-line de aprendizagem organizacional que ele mesmo fundou; foi CEO da Clark Sustainable Resource Developments; e CEO da Tetra Tech Communications, cujo faturamento cresceu de quarenta para trezentos milhões de dólares sob a sua liderança. Michael é, ainda, fundador e membro da diretoria de fundo de *seed* e *private equity* Fund Good Jobs, que educa, acelera e investe em pequenos negócios, construindo comunidades mais igualitárias para todos. Já deu aulas de empreendedorismo na Universidade de Stanford e na Mills College, além de ter feito parte do Conselho de Negócios da Casa Branca na gestão do Presidente Obama. Possui mestrado em gestão pela School of Business da Standord. Michael mora em sua cidade de origem, Oakland, Califórnia, com a sua mulher, Melba. Tem dois filhos adultos, Matthew e Martin, e uma nora, Lisa, que é casada com Matthew. Você pode encontrá-lo com o seu saxofone, tocando jazz junto aos seis colegas da banda "The Ways and Means Committee", na Bay Area.

**Ed Frauenheim** é diretor de pesquisa e conteúdo no Great Place to Work. Ele é responsável pela redação dos relatórios, além de liderar a análise de dados e de produzir comentários relacionados aos melhores lugares para trabalhar nos Estados Unidos e no mundo. Foi um dos criadores do conceito da Lógica de Confiança do Great Place to Work e fez muitos *workshops* sobre o assunto. Antes de se juntar a nós no GPTW em 2014, Ed foi, por quinze anos, jornalista e comentarista com foco na intersecção de trabalho, tecnologia e estratégia de negócios. Ele já publicou artigos em diversas revistas, entre as quais a *Fortune* e a *Wire*, além de no jornal *Seattle Times*. Já falou em variados eventos e é coautor de dois livros: *Organized Innovation: A Blueprint for Renewing America's Prosperity* e *Good Company: Business Success in the Worthiness Era*. Ed é formado em História pela Universidade de Princeton e possui mestrado em Educação pela Universidade da Califórnia em Berkeley. Ele mora em San Francisco com a sua mulher, Rowena, e seus dois filhos, Julius e Skyla. Em seu tempo livre, ele torce para os Warriors, joga basquete e dança ao som de Daft Punk.

Jessica Rohman é diretora de conteúdo no Great Place to Work e lidera o nosso desenvolvimento de conteúdo sobre liderança. Jessica passou muitos anos de sua carreira como consultora de desenvolvimento organizacional, trabalhando com líderes de diversos ramos empresariais para ajudá-los a aprimorarem a experiência dos funcionários. Ela também dirigiu a Executive Strategy Network, uma rede profissional para líderes reconhecidos das 100 Melhores Empresas. Desde que começou a trabalhar no Great Place to Work em 2004, tem conduzido pesquisas extensas sobre os melhores lugares para trabalhar do mundo e publicado como especialista em excelentes locais de trabalho para diversos veículos de comunicação, como o *Miami Herald*, a revista *Diversity Woman* e o portal *Oprah.com*. Ela também é colabora frequente da revista *Fortune*. Jessica é bacharel em Psicologia e possui mestrado em Psicologia Organizacional e Industrial. Também fez doutorado na área de sistemas organizacionais e humanos no Instituto Fielding. Ela mora em Berkeley, na Califórnia, com o seu marido, Kris, e seus dois filhos, Charlotte e Blake.

**Sarah Lewis-Kulin** é vice-presidente de certificação e da produção de listas do Great Place to Work. Ela é colaboradora frequente da revista *Fortune*, em que publica artigos com base em pesquisas relacionadas às Melhores Empresas. Desenvolveu, também, o nosso parâmetro de certificação de organizações como excelentes lugares para trabalhar e participou da criação da nova metodologia Great Place to Work For All, que avalia o grau em que as companhias criam uma experiência consistentemente positiva para os funcionários, independentemente de quem seja e de quais sejam as suas funções na organização. Sarah continua a supervisionar a evolução dos métodos de análise que aferem Great Places to Work para compor as muitas listas de Melhores Empresas dos Estados Unidos, entre as quais as de 100 Melhores Empresas para Trabalhar da *Fortune*. Desde que entrou para o Great Place to Work em 2000, ela atendeu clientes, deu início às conferências da empresa e criou programas de *networking*, além de fazer parte da nossa equipe de gestão. Antes, ela passou por organizações sem fins lucrativos e pelo mercado editorial. Sarah se formou na Wellesley e mora em Massachusetts com sua mulher e filhos.

**Ann Nadeau** é atualmente diretora de recursos humanos e de marketing do Great Place to Work. Ann lidera a estratégia global de *branding* para trazer atenção e conexão à nossa empresa, ao mesmo tempo em que participa da mudança organizacional gerada pelo rápido crescimento. Em seus cargos anteriores como diretora da gestão global e vice-presidente de operações internacionais, Ann liderava a equipe responsável por marketing, desenvolvimento de negócios e de produtos, treinamento e gestão de operações em cinquenta países no mundo todo. Ela expandiu os negócios e a missão do Great Place to Work para mais trinta países ao lançar a lista de parcerias com as Melhores Empresas, criando assim um modelo bem-sucedido de licenciamento de propriedade intelectual e lançando as primeiras listas de Melhores Empresas da Europa e da América Latina. Antes de assumir essas responsabilidades na GPTW, Ann foi diretora de *branding* da empresa de hospitalidade Joie de Vivre, sedeada na Califórnia, lançando o seu nome e abrindo mais de quinze marcas de hotéis-butique e restaurantes. Ela é formada pela Universidade de Michigan e tem um MSBA pela Universidade Estadual de San Francisco. Ann mora em Oakland, Califórnia, com a sua mulher. Juntas, elas são sócias-proprietárias de dois restaurantes consagrados.

**Marcus Erb** adora usar dados para entender melhor o mundo e torná-lo um lugar melhor. Como ele mesmo diz, ele tem muita sorte de estar fazendo justamente isso no GPTW há quinze anos. No cargo que ocupa hoje, lidera a equipe de Inovação e Desenvolvimento do GPTW, que foca na criação de ferramentas e de métodos de interpretação para ajudar empresas a construir locais de trabalho melhores para as pessoas e para o seu desempenho. Em sua experiência anterior, Marcus trabalhou para uma consultoria internacional de pesquisa e gestão especializada em customizar ferramentas de satisfação do cliente, medir o desempenho, desenvolver estratégias e criar programas de avaliação institucional. Marcus é bacharel em Psicologia pela Occidental College de Los Angeles e mestre em análise de dados pela Universidade Villanova. Em seu tempo livre, você o encontrará aproveitando a vida ao ar livre na bela San Francisco Bay Area, torcendo com entusiasmo pelos Giants e Warriors e rindo ao tentar acompanhar as duas filhas pequenas.

©2018, Pri Primavera Editorial Ltda.

©2018, by Great Place to Work Institute INC.

Equipe editorial: Larissa Caldin e Lourdes Magalhães
Tradução: Cynthia Costa
Preparação de texto: Larissa Caldin
Revisão: Fernanda Guerriero Antunes
Capa: Project Nine Editorial

Dados Internacionais de Catalogação na Publicação (CIP)
(Câmara Brasileira do Livro, SP, Brasil)

Bush, Michael C.
A great place to work for all / Michael C. Bush e equipe de pesquisa da Great Place to Work ; tradução de Cynthia Costa. — São Paulo : Primavera Editorial, 2018. 288 p.

ISBN: 978-85-5578-071-4
Título original: A great place to work for all.

1. Liderança 2. Ambiente de trabalho 3. Motivação no trabalho 4. Negócios I. Título II. Costa, Cynthia

18-1326                                    CDD 658.312

Índices para catálogo sistemático:
1.    Negócios : Liderança

PRIMAVERA
EDITORIAL

Av. Queiroz Filho, 1560 - Torre Gaivota Sl. 109
05319-000 – São Paulo – SP
Telefone: (55 11) 3034-3925
www.primaveraeditorial.com
contato@primaveraeditorial.com